GIANRICO CAROFIGLIO

LA DISCIPLINA DI PENELOPE

MONDADORI

© 2021 Mondadori Libri S.p.A., Milano

I edizione Il Giallo Mondadori gennaio 2021

ISBN 978-88-04-72673-9

librimondadori.it

LA DISCIPLINA DI PENELOPE

1

Finalmente il suo respiro si fece regolare. Inspirava dal naso ed espirava da un lato della bocca, come un piccolo strumento a mantice. Non era rumoroso; non troppo, non come altri almeno. In condizioni diverse – in una vita diversa – sarebbe stato addirittura possibile dormirci insieme.

Pensai per qualche istante a tutti gli altri; ai suoni grotteschi, quasi caricaturali che alcuni facevano dopo essere sprofondati in un sonno faticoso. Mi venne in mente un libro che era a casa della nonna. *Il Paese della Ninna Nanna*. Mi ricordavo benissimo le illustrazioni – disegni del passato, il libro era degli anni Trenta – e solo confusamente la storia. C'era una specie di mago che spargeva una polverina per fare addormentare il piccolo protagonista, un bambino con un buffo pigiama a tutina. Che bello sarebbe stato averlo ancora, quel libro. Tornare a casa, sfogliarlo come facevo da bambina quando dormivo dalla nonna, quando lei c'era, quando non era in viaggio. Addormentarmi immaginando che l'uomo del sonno, con la sua polverina ma-

gica, arrivasse anche da me. Addormentarmi spensie-
rata. Tanta gente rimane quasi paralizzata quando le
domandi a bruciapelo di esprimere un desiderio. Invece se lo chiedessero a me non avrei né dubbi né esi-
tazioni: tornare a addormentarmi come da bambina, a
casa di nonna Penelope.

Scivolai con cautela fuori dal letto, attenta a non sve-
gliare l'uomo. Come si chiamava? Alberto, forse, ma
non ero sicura, il volume della musica era troppo alto
quando c'erano state le presentazioni. Raccolsi le mie
cose, sparse fra una poltrona e il pavimento, e raggiunsi il bagno.

Feci scorrere l'acqua in un filo, per non fare rumore.
Lo stretto necessario. Poi a casa avrei fatto la doccia e
cancellato anche questa esperienza.

Esperienza? Attenta alle parole. Esperienza è quando impari qualcosa, quando sei presente in una situazione e questa situazione ti lascia una traccia, un segno. Non proprio quello che era successo poco prima.

Quasi un'ora di prestazioni ginniche, a un certo punto anche davanti a uno specchio. In modo che potessi
ricordarmi bene, aveva detto lui con voce fintamente
rauca – l'idea era che fosse erotica –, muovendosi come
in un tutorial, contraendo a ritmo i muscoli ipertrofi-
ci e contemplandone l'immagine riflessa. Più che sesso, sembrava una gara di culturismo. Quando mi do-
mandò se mai un altro uomo mi avesse fatto godere in
quel modo mi dissi che poteva bastare. Simulai un or-
gasmo di prim'ordine, con tanto di gemiti e sussulti, e

anche lui, a quel punto, si sentì autorizzato a terminare l'esibizione.

Dopo essermi lavata non resistetti alla tentazione di aprire gli armadietti ai lati dello specchio. In quello a destra c'erano collutorio, ibuprofene, Toradol, collirio, Rinazina, vitamine, omega 3, curcuma, glucosamina, melatonina, preservativi di vario genere, inclusi quelli al gusto di fragola, che per fortuna mi erano stati risparmiati. Un po' più nascosti: Levitra e Minias. Il Minias era evidentemente la ragione per cui adesso dormiva così tranquillo. Il Levitra non sapevo cosa fosse e dunque – molto indiscreta, lo so – lessi, e dal foglietto scoprii, senza eccessivo stupore, che si trattava di "farmaco per il trattamento della disfunzione erettile negli uomini adulti".

Tanto per completare l'ispezione guardai anche nell'altro armadietto: rasoi vari, crema idratante, crema antirughe, lifting per il contorno occhi, siero, patch per eliminare le borse sotto gli occhi, fondotinta, terra effetto bronzage. Sul lato interno dello sportello era attaccata la pagina di una rivista con un elenco di esercizi di ginnastica facciale "per tonificare i muscoli del viso e combattere rughe, linee sottili e altri segni del tempo". Me lo immaginai mentre tirava la pelle verso le tempie – "a mo' di cinesino, per intenderci" (così suggeriva l'autore dell'articolo) – per contrastare rughe e zampe di gallina.

A quel punto decisi di dare un'occhiata al resto della casa. La cucina era pulita e ordinatissima. Nel frigorifero c'erano cartoni di latte di soia, petti di pollo, prodotti probiotici, spuntini proteici, bibite da allenamento sportivo, una bottiglia di champagne.

Poi c'era la palestra. Una stanza spaziosa con panca, bilanciere, manubri, barra per trazioni, una spalliera e un sacco da boxe. Il soggiorno era ampio, con una bella vista, mobili nuovi, costosi e insignificanti. Sugli scaffali una ventina di libri: fitness, alimentazione, self-help e Paulo Coelho.

Prima di andarmene rientrai nella stanza da letto in penombra.

Mi avvicinai all'uomo che continuava a dormire pacifico e che, forse per questo, mi suscitò una fugace tenerezza. Quasi mi venne voglia di fargli una carezza, dargli un bacio di addio. Durò qualche secondo. Poi gli feci ciao con la mano, controllai di avere con me il cellulare, lo spray al peperoncino e il calzino pieno di biglie, e uscii.

Il portone del palazzo si chiuse alle mie spalle, davanti a me una Milano livida, attraversata da luci impure. Non faceva troppo freddo – ma non fa mai troppo freddo ormai, dicono.

Un barbone dormiva in un sacco a pelo, circondato da un rifugio di cartoni, vicino all'ingresso di una banca. Età indecifrabile, come quasi tutti quelli che vivono per strada. Ho cominciato a guardare i barboni da quando mi hanno raccontato la storia di un mio compagno del liceo. Prima una brutta separazione, poi il licenziamento, poi non aveva più potuto permettersi la casa in cui abitava e non ne aveva trovata un'altra. Dormiva in una vecchia auto, mangiava alle mense per poveri, viveva di espedienti, elemosina inclusa. Da quando ho saputo di lui, osservo attentamente ogni senzatetto che incontro. Cerco nelle barbe incolte, nei lineamenti deformati dalla solitudine, dalla miseria, dal freddo, dal vino cattivo la fisionomia di quel ragazzino che, in realtà, non ho mai davvero conosciuto. Siamo stati nella stessa classe per cinque anni e non ricordo una sola volta in cui ci ho parlato. Ma adesso vorrei incontrarlo e chiedergli come è potuto accadere, magari aiutarlo. Uno dei tanti miei pensieri senza senso.

L'uomo che dormiva davanti a me, quella notte, non sembrava lui. Ma del resto, chissà se sarei riuscita a riconoscerlo, in caso lo avessi incontrato. Sul rifugio di cartone c'era una frase scritta col pennarello: SE VOLETE, LASCIATE QUALCOSA. VIVO DI QUESTO. Con la virgola e il punto messi al posto giusto, la scrittura diritta, ordinata e infantile, come fosse stata su un quaderno di terza elementare. Presi una banconota da venti e gliela infilai fra le dita. Lui non si accorse di nulla e continuò a dormire.

Poi accesi una sigaretta, misi gli auricolari, cercai Nick Cave e mentre partivano gli accordi di *Into My Arms* mi avviai verso casa.

2

Arrivai al bar di Diego qualche minuto prima delle undici, ora dell'appuntamento. Per essere novembre la giornata era decisamente bella, luminosa, con un vento fresco ma non freddo. L'aria sembrava addirittura pulita. Avevo dormito poche ore ma mi sentivo lo stesso abbastanza riposata.

«Ciao, Diego, è libero dietro?»

«Ciao, Penny, libero.»

Ho a lungo detestato quel nomignolo, poi mi ci sono abituata. Se qualcuno dei miei amici – pochi – mi chiamasse Penelope mi farebbe un effetto strano.

«Fra qualche minuto arriva un tale per me» dissi avviandomi verso il retro del locale. Era una saletta con due tavolini dove non entrava quasi mai nessuno.

«Lo faccio passare. Che ti porto?»

«Un caffè americano allungato con un dito di Jack.»

Diego mi guardò, poi guardò l'orologio, poi mi guardò di nuovo.

«Penny, sono le undici…»

«Non mi sono espressa bene, colpa mia, eccesso di

sintesi. Riformulo: caffè americano in tazza grande con correzione di Jack Daniel's. Se lo hai finito nessun problema, va bene qualsiasi altra marca. E comunque, per la tua tranquillità, ho molto ridotto. È possibile che non ne tocchi altro fino a stasera.»

Andai a sedermi dopo avere appeso il giubbotto a un gancio sul muro. Un paio di minuti dopo arrivò Diego con il caffè. Bevvi subito un sorso per controllare che si fosse attenuto all'ordinazione.

«Vuoi mangiare qualcosa?»

«Grazie, ho fatto una colazione sana e senza bourbon, a casa.»

Diego rimase lì.

«Vuoi dirmi qualcosa?»

Si schiarì la voce. «Non credi che sarebbe bene parlarne a qualcuno?»

«Ascoltami, Diego. Apprezzo molto la tua amicizia e la tua premura. Ma davvero, non devi preoccuparti. È una cosa sotto controllo, e mi serve. Prendo qualche Tavor in meno, mi bevo qualche bicchiere in più e finisce lì.»

«Lo so che è inutile dirtelo. Ho visto e sentito un sacco di gente fare discorsi identici al tuo.»

«Vuoi dire: gli alcolizzati?»

«Quelli che hanno qualche problema con l'alcol, prima negano che il problema esista. Poi a volte diventano proprio… quello che hai detto tu. Che ci sarebbe di male a parlarne con qualcuno?»

Mi sentii attraversare da un'ondata di insofferenza. La controllai a fatica, evitando che si trasformasse nella solita reazione rabbiosa. Non sarebbe stato giusto. Molti vogliono solo farti la lezione o la morale. Sfogano su di te il loro bisogno di sentirsi migliori. Diego no: era preoccupato. Non si meritava di vedere la parte peggiore di me. Feci un respiro profondo.

«Va bene, Diego. Può anche darsi che tu abbia ragione, voglio ammettere che da parte mia ci sia un difetto di prospettiva. Ti prometto che ci penserò seriamente. Voglio dire: se parlarne con qualcuno. Adesso però vai di là che devi lavorare. E fra poco, anch'io.»

Diego parve sul punto di aggiungere qualcosa. Poi semplicemente annuì, si girò e tornò nell'altra sala. Bevvi un lungo sorso di caffè, dicendomi che non dovevo finirlo subito: Diego avrebbe fatto un sacco di storie per darmene un altro.

Qualche minuto dopo si affacciò l'uomo che stavo aspettando. Alto, piuttosto magro, forse non di una magrezza naturale. La giacca gli andava un po' larga: o aveva fatto una dieta energica, o era successo qualcosa di spiacevole.

«Buongiorno, la dottoressa Spada?»

«Buongiorno. Si accomodi» dissi indicando con la mano la sedia di fronte alla mia, sull'altro lato del tavolino. Si sedette con circospezione, come temendo che la sedia potesse cedere sotto il suo peso. Poi si rialzò e mi tese la mano.

«Mario Rossi» si presentò. E poi, con una battuta detta chissà quante altre volte: «È il mio vero nome, non uno pseudonimo».

Tirai fuori un sorriso di cortesia, che scomparve un attimo dopo. «Prende un caffè?»

«Ne ho già presi tre, questa mattina. Meglio non esagerare.»

«Va bene. Allora mi dica pure.»

«Credo che Filippo Zanardi le abbia preannunciato la mia visita.»

«Sì, senza dirmi il motivo.»

Lui si aggiustò con un gesto meccanico il nodo della cravatta, che in effetti era abbastanza allentato e mal fatto. Si schiarì la voce.

«Più di un anno fa mia moglie è stata assassinata.»

Esattamente un anno, un mese e tre giorni prima, sua moglie Giuliana Baldi una sera non era rientrata. Capitava abbastanza spesso che tardasse. Faceva l'istruttrice di fitness, lavorava soprattutto come personal trainer e a volte andava a casa di clienti anche sul tardi. A volte poi usciva con delle amiche ma, se tardava, avvertiva sempre.

La sera del 13 ottobre 2016 non era rientrata e nemmeno aveva detto che avrebbe fatto tardi. Il cellulare era staccato. Lui, Mario Rossi, aveva chiamato in palestra: stavano chiudendo e gli avevano detto che quel pomeriggio Giuliana non si era vista. Non c'erano corsi che teneva lei ed evidentemente non aveva nessuna lezione personale in palestra. Forse aveva lavorato a casa di qualche cliente, ma non sapevano chi potesse essere. No, non avevano un elenco dei suoi clienti personali, la palestra prendeva una percentuale su quelli che venivano ad allenarsi lì, per gli altri era un affare privato dell'allenatore o dell'allenatrice.

Quando si era fatto davvero tardi Rossi era andato in questura, aveva aspettato un bel po' davanti all'ufficio denunce e alla fine era riuscito a parlare con un ispettore. Tutto sommato il poliziotto era stato comprensivo, aveva detto che trattandosi di persona maggiorenne non c'era molto che potessero fare, non si poteva nemmeno escludere che si fosse allontanata di sua spontanea volontà. In ogni caso avrebbe raccolto la denuncia e diramato una nota alle volanti. Poi avrebbero portato l'informativa in procura e il magistrato di turno avrebbe deciso se era possibile acquisire i tabulati del cellulare o fare altri atti di indagine.

Non ce n'era stato il tempo, però: il giorno dopo, nel pomeriggio, il corpo della donna era stato rinvenuto in un'area incolta alla periferia di Rozzano.

«Chi l'ha trovata?»

«Un pensionato che portava il cane a fare una passeggiata.»

Mario Rossi raccontava la storia con uno strano distacco; meglio: con una specie di neutralità, senza tentennamenti emotivi. Usava espressioni molto appropriate, cercava la parola più adatta per dire quello che doveva. "Area incolta", per esempio. L'eccessiva accuratezza linguistica di un teste che dovrebbe essere emotivamente coinvolto in quello che racconta è sempre un fattore da annotare – ma non per trarne in modo automatico la conseguenza che sta mentendo. Bisogna stare attenti alle intuizioni investigative; bisogna stare attenti a non saltare subito alle conclusioni attraverso gli indicatori linguistici. In realtà bisogna stare attenti a non saltare subito alle conclusioni e basta, indicatori linguistici o altro. Parlare in un certo modo può significare una cosa ma, a volte, esattamente il suo contrario.

Se stai ascoltando un testimone e lui suda, è pallido, insomma manifesta segni di nervosismo o di paura, questo può significare che sta mentendo; ma può anche significare che, essendo una persona molto emotiva, subisce lo stress della situazione. Per un poliziotto, per un carabiniere, per un magistrato interrogare un teste, occuparsi di fatti gravi o gravissimi è parte di un lavoro che, come tutti, diventa routine. Per il teste è un evento eccezionale e stressante, una cosa che con ogni probabilità non gli è accaduta prima e con ogni probabilità non gli accadrà mai più dopo. Dunque certi indicatori – il pallore, il sudore, il torcersi le mani o, come nel caso di Rossi, l'uso di un linguaggio preciso e distante – devono suscitare attenzione quando non sospetto. Ma non devono farti saltare subito alle conclusioni. Saltare alle conclusioni è come mettersi dei paraocchi che ti impediscono – letteralmente ti impediscono – di vedere tutto quello che contrasta con quelle conclusioni e che invece potrebbe essere decisivo.

E così le parole molto precise in un soggetto che dovrebbe essere coinvolto emotivamente possono significare menzogna ma possono anche esprimere un tentativo di difesa dall'impatto doloroso di una esperienza traumatica. Un linguaggio freddo e distante – come quello dei verbali, per capirci – consente di tenere la sofferenza sotto controllo. Ognuno si difende dal dolore o dalla paura come sa e come può.

«Chi è intervenuto sul posto?» chiesi.

«In che senso?»

«Voglio dire: sono arrivati i carabinieri o la polizia?»

«La polizia.»

Rossi si fermò, pareva aspettarsi qualche altra domanda.

«Vada avanti, la ascolto.»

Era arrivata la polizia, poi era arrivato il medico legale e poi il sostituto procuratore di turno. Già solo dall'esame esterno si capiva che la causa del decesso era un colpo di pistola alla testa e che la donna non era morta lì dove era stato ritrovato il corpo. Le macchie ipostatiche segnalavano che nelle ore immediatamente successive il corpo era stato in posizione diversa da quella del ritrovamento.

«Aveva il cellulare, il portafogli, eventuali oggetti di valore?»

«No. Né il cellulare, né il portafogli, né i gioielli.»

«La fede nuziale?»

«Non la portava.»

«C'erano altri segni di violenza, oltre alla ferita?»

«No. Dall'autopsia è risultato che è stata attinta» – disse proprio "attinta", una tipica parola da verbali e da referti autoptici – «da un solo colpo d'arma da fuoco alla testa e che la morte è stata immediata.»

Pronunciò le ultime parole con un tono quasi esibito di sollievo. Doveva esserselo ripetuto molte volte da solo, che almeno sua moglie non aveva sofferto quando era stata uccisa.

«Il proiettile?»

«Calibro 38. L'hanno recuperato con l'autopsia.»

«Lei l'ha letta?»

«Ho letto tutti gli atti del procedimento. Ma non ho guardato le foto, se è questo che voleva chiedermi.»

Era quello che volevo chiedergli, mi limitai a un cenno del capo. «È andato sul posto?»

«No, abbiamo fatto il riconoscimento all'obitorio.»

«Poi sono venuti a casa?»

«Sì, mi hanno chiesto se potevano venire a dare un'occhiata. Ho detto di sì, naturalmente.»

«Ma non hanno dato solo un'occhiata, vero?»

«No. Hanno guardato ovunque. C'era uno che parlava con me, faceva l'amico. Gli altri però cercavano dappertutto. Hanno parlato anche con i condomini.»

«Hanno portato via qualcosa?»

«No, ma il giorno dopo sono tornati con la scientifica e un avviso di garanzia in cui c'era scritto che ero indagato per omicidio volontario. Mi hanno detto che era solo una formalità, era indispensabile l'avviso di garanzia per fare… come si chiama…»

«Accertamenti tecnici irripetibili?»

«Sì, questo.»

«Lei ha nominato un avvocato?»

«Sì, è venuto a casa. Ha presenziato alle operazioni.»

«Hanno fatto il luminol?»

Il luminol è un composto chimico usato dalla polizia scientifica per recuperare tracce latenti. Funziona anche quando il sangue è stato apparentemente eliminato con il lavaggio e, fra l'altro, evidenzia la presenza di candeggina, usata spesso per rimuovere le tracce ematiche. Altro che formalità nell'avviso di garanzia, mi dissi: se avevano fatto il luminol a casa di Rossi sospettavano che l'omicidio si fosse verificato proprio lì.

«Sì. Cercavano tracce di sangue. Hanno controllato anche le nostre due macchine.»

«Cosa ne è venuto fuori?»

«Nulla.»

«E dopo questa seconda visita hanno portato via qualcosa?»

«Hanno preso il computer di Giuliana. Me lo hanno restituito dopo avere duplicato il disco rigido.»

«Avete… avete avuto figli? Ci sono bambini?»

«Una bambina.» E poi, come se fosse un'informazione indispensabile: «Non c'era quando hanno fatto la perquisizione. Dal giorno prima era a casa dei nonni, i miei genitori».

«Ci sono anche i nonni materni?»

«No. Giuliana era orfana. Quando l'ho conosciuta aveva già perso i genitori in un incidente stradale.»

Fu in quel momento che mi chiesi per quale motivo mi stesse raccontando tutte quelle cose, e per quale motivo io lo stessi ascoltando senza chiederglielo. «Il procedimento a suo carico è ancora pendente?»

«No. È stato archiviato. Ho copia di tutto il fascicolo. Ce l'ho qui con me» e così dicendo estrasse dalla tasca interna della giacca una chiavetta. «Quando hanno fatto la richiesta di archiviazione il mio avvocato ha chiesto la copia integrale degli atti. Pare che ci sia una sentenza della Corte di Cassazione...»

«È della Corte Costituzionale, in realtà. Dice che l'indagato ha diritto a richiedere e ottenere copia degli atti nel caso di richiesta di archiviazione e la procura deve rilasciarli a meno che non ci siano specifiche ragioni di segreto relative ad altro procedimento.»

«È quello che mi ha detto il mio avvocato. Quando ho letto gli atti e in particolare gli ho chiesto se potevamo fare qualcosa.»

«In che senso?»

«Se era possibile fare appello, o qualcosa del genere.»

«Non si può.»

«Sì, è quello che mi ha detto.»

«Ma perché voleva impugnare il provvedimento? Hanno archiviato, dunque hanno ritenuto che non ci fossero elementi a suo carico.»

«Se legge l'archiviazione si renderà conto del perché.»

Non ci fu bisogno che andassi a cercarla: Mario Rossi la sapeva ovviamente a memoria.

«Cosa c'è scritto nell'archiviazione?»

«Si dice che non ci sono elementi per procedere ma che i sospetti a mio carico sono "inquietanti" anche perché le indagini hanno evidenziato l'insussistenza di ipotesi alternative.»

Non dissi nulla. Capivo il punto di vista: se era davvero innocente, un provvedimento come quello è infamante quasi quanto una condanna. Un giudice non dovrebbe fare considerazioni del genere quando archivia. Si getta una macchia su una persona che non può fare nulla per difendersi perché, appunto, non è prevista l'impugnazione di un decreto di archiviazione. Si possono scrivere le parole più pesanti, impunemente. E chiunque può riprenderle, impunemente.

Immaginate di rimanere impigliati in un procedimento penale. Per un concorso di circostanze, pur essendo innocenti, a vostro carico ci sono indizi. Insufficienti per farvi arrestare e per consentire la prosecuzione del procedimento. Sufficienti a fare scrivere nel decreto di archiviazione che i sospetti a vostro carico sono *inquietanti*. Non potete farci niente; nemmeno se un giornale cita quelle frasi e chiunque lo legga si convince che siete un colpevole che l'ha fatta franca. Se provate a querelare il giornale vi risponderanno che loro non hanno fatto altro che riportare quello che ha scritto il giudice. E perderete la causa.

Quando si archivia si dovrebbe dire semplicemente che non ci sono elementi per esercitare l'azione penale, nel modo più asettico possibile. Spesso non avviene. Quando facevo il pubblico ministero la cosa mi inquietava di meno. Per così dire. Diciamo che stando da quella parte, in quell'epoca della mia vita, ero meno sensibile a certi temi.

«Ho chiesto se non c'era modo di richiedere altre indagini, che esplorassero altre piste, altre ipotesi. Magari non avrebbero portato all'individuazione del vero colpevole, ma almeno mi avrebbero liberato da quel sospetto. L'avvocato ha detto che non c'era nulla da fare. O perlomeno che non c'era nulla che potesse fare lui. In teoria, ha detto, poteva essere lavoro per un investigatore privato. Ma in pratica mi ha sconsigliato di assumerne uno. Ha detto che non sarebbe servito a niente. Ha detto che gli investigatori privati risolvono i casi solo nei romanzi e nei film. Mi ha detto di andare avanti, di cercare di dimenticare – quell'archiviazione sarebbe stata sepolta in breve dal tempo e dalla polvere – e di rifarmi una vita.»

«Perché mi racconta tutto questo? Perché ha chiesto di incontrarmi?»

Mario Rossi si tolse gli occhiali, con pollice e medio della mano destra si strofinò il naso e gli angoli degli occhi. Era diverso senza occhiali. Tutti lo siamo, ma alcuni di più. Pensai che era un uomo bello. Bello e fragile. Rimise gli occhiali.

«Dopo aver parlato con l'avvocato, non sapendo che fare, non sapendo a chi rivolgermi ho cercato Filippo Zanardi. Era il giornalista che ha più seguito la vicenda di mia moglie. In quei mesi ci siamo incontrati diverse volte, anche se io non ho mai voluto fare interviste. Gli ho detto che accettavo di parlare con lui se mi prometteva che non avrebbe riportato mie dichiarazioni. Mi sembrava una cosa molto inopportuna, sbagliata. Quando in passato mi era successo di leggere di casi di... insomma, casi gravi come questo, avevo avuto un forte senso di fastidio a sentire parenti delle vittime che rilasciavano interviste e dichiarazioni. Era una cosa... non trovo la parola...»

«Oscena?»

«Oscena, sì. È la parola esatta. Comunque Zanardi ha sempre rispettato il nostro accordo. Ha scritto molte volte sul caso e certamente le cose che ho detto gli sono servite, ma non mi ha mai citato e tantomeno ha messo mie frasi fra virgolette. Diciamo che è nato un rapporto personale.»

«Cosa c'entra Zanardi col fatto che siamo qui a parlare?»

«A un certo punto gli ho chiesto cosa pensava dell'ipotesi di assumere un investigatore privato. Lui mi ha detto praticamente le stesse cose dell'avvocato ma ha aggiunto che, se proprio volevo fare un tentativo, potevo parlare con lei.»

«A che scopo?»

«Voglio che scopra chi ha ucciso mia moglie. E per quale motivo.»

Feci un lungo respiro. «Mi spiace, ma è un lavoro che non posso fare. A parte ogni altra considerazione, non ne ho i mezzi.»

Lui non disse nulla. Fece solo un cenno col capo: mi ascoltava.

«È molto improbabile che un privato riesca a fare quello che non sono riusciti a fare polizia e procura. Un'agenzia di investigazioni regolare, cui dovesse rivolgersi dopo aver parlato con me, accetterà l'incarico, le chiederà un bell'anticipo, farà qualche tentativo, non scoprirà nulla di rilevante o comunque di utile, le scriverà una bella, lunga relazione piena di chiacchiere e di allegati per giustificare anticipo e saldo e la saluterà con una pacca sulla spalla.»

«Infatti Zanardi mi ha detto che, se c'è una persona capace di risolvere questo caso, quella è lei.»

«A Zanardi piacciono le frasi a effetto, quando scrive e quando parla. Ha ragione solo su una cosa: meglio non andare da detective privati, sono soldi buttati. Ma sarebbero soldi buttati anche con me. Mi dispiace ma deve rassegnarsi. È spiacevole che l'abbiano sospettata, ma d'altro canto non hanno fatto troppi danni. Non è stato mai arrestato, hanno solo indagato su di lei. Capisco quanto possa essere increscioso. È finita bene però, hanno archiviato anche se qualche espressione del decreto di archiviazione le è dispiaciuta. Può essere che in un futuro imprecisato l'assassino di sua moglie salti fuori. Magari viene preso dal rimorso e dal bisogno di espiare… è improbabile, ma a volte accade; oppure si confida con qualcuno e questo qualcuno lo racconta a qualcun altro fino a che la voce non arriva a qualche poliziotto o a qualche carabiniere e il caso viene riaperto.»

"Sempre che il responsabile non sia davvero tu" pensai mentre finivo la frase. Anche se, in questo caso, perché rivolgersi a qualcuno per un'indagine privata? Forse per precostituire una difesa nell'ipotesi di una riapertura, per qualsiasi ragione, dell'indagine pubblica? Non lo avrei mai saputo.

La voce di Rossi interruppe quel flusso di pensieri.

«Ho paura che mia figlia, quando sarà grande, possa anche solo dubitare di me o addirittura convincersi che io abbia ucciso sua madre. Per questo – *soprattutto* per questo – voglio che sia scoperto l'assassino.»

Presi il pacchetto delle sigarette, ne tirai fuori una e la misi fra le labbra. Strinsi l'accendino per qualche secondo prima di lasciarlo e togliere la mano dalla tasca del giubbotto.

«Quanti anni ha la bambina?»

«Sette.»

«È come ha detto il suo avvocato: quando sua figlia sarà grande il fascicolo e tutta questa storia saranno davvero seppelliti dal tempo e dalla polvere. Saprà solo che sua madre è stata uccisa – certo, un pensiero con cui non è facile convivere – e che l'assassino non è stato preso.»

Mario Rossi scosse il capo. «Io al suo posto, diventato grande, vorrei cercare di capire cosa è successo. Se mia figlia ragionasse come me, un giorno potrebbe procurarsi gli atti e leggere che c'erano inquietanti sospetti su suo padre. E non voglio che accada. Questo pensiero mi ossessiona. Lo capisce?»

«Le secca se usciamo? Vorrei fumare.»

Lui annuì, prese la borsa con un movimento che mi parve goffo, uscimmo.

«Capisco la sua angoscia» dissi, dopo aver acceso la

sigaretta. «Ma passerà. Sua figlia crescerà con lei e questa idea che da adulta vada alla ricerca degli atti di quel procedimento è un'ossessione priva di fondamento.»

In realtà non ero così sicura di quello che stavo dicendo. Forse aveva ragione. Forse io stessa, al posto di quella bambina, diventata grande avrei voluto fare proprio quello che temeva lui. Ma non era esattamente la cosa da dirgli.

«Il suo avvocato ha ragione. Vada avanti. Non le dico: cerchi dimenticare. Ma il tempo sistema parecchie cose.»

«Non vuole neanche leggere gli atti?»

«Arrivederci, signor Rossi» dissi spegnendo il mozzicone sotto il tacco del mio scarponcino. «Mi dispiace, purtroppo non sono io la soluzione al suo problema.»

3

Quando Rossi fu scomparso dietro l'angolo di via Lentasio mi appoggiai al muro e accesi un'altra sigaretta. La fumai almeno per metà prima di provare a riflettere. Avevo l'impressione di essermi comportata nel modo sbagliato, ma non sapevo quale poteva essere il modo giusto.

Come mi accade, sentivo la rabbia montare.

La psichiatra diceva che per affrontare i miei problemi e in particolare la rabbia fuori controllo dovevo imparare a dare un nome ai sentimenti, alle emozioni.

«Vede, Penelope» mi aveva detto una volta, «per superare il disagio o addirittura la malattia mentale, un passaggio decisivo sta nel costruirsi un vocabolario preciso per descrivere le proprie sensazioni interiori. Se uno dice indifferentemente: felice o entusiasta; oppure triste e infelice; oppure se dice sono arrabbiato e invece è triste; o viceversa se dice sono triste e invece è solo molto arrabbiato, non potrà mai sottrarsi all'influenza occulta di quelle emozioni e di quei sentimenti che non sa riconoscere. Viceversa, dare un nome alle emozioni negative riduce il loro potere su di noi. Il più potente degli psicofarmaci è un buon vocabolario.»

Dei discorsi con la dottoressa, nei mesi in cui sono andata da lei, è quello che mi è rimasto più impresso. Altre cose mi sembravano speculazioni astratte, che non mi riguardavano, che lei diceva a me applicando uno schema automatico, una routine meccanica. Del resto, tutti procediamo per tentativi.

Comunque da quando la dottoressa mi ha detto quelle cose io ci provo. A volte mi pare anche di riuscirci. Poi però, dopo aver dato – aver *provato* a dare – un nome ad alcune emozioni o sensazioni, guardo nello spazio dove ci sono tutte le altre e mi viene un senso di vertigine. Penso di non potercela fare, perdo l'equilibrio e mi ritrovo nel dedalo della mia mente confusa, dove i rumori sono smorzati ma le sequenze sono inafferrabili.

Tempo di finire la sigaretta, e la rabbia si era placata. Dovevo chiamare Zanardi. Prima di tutto gli avrei chiesto come gli era venuto di mandarmi quel tizio. Poi mi sarei fatta raccontare la storia dal suo punto di vista. Per convincermi di quello che già sapevo: l'idea di occuparmi di una indagine per omicidio era semplicemente una sciocchezza.

Zanardi era un vecchio cronista di nera. Come tutti i cronisti di nera – come tutti quelli bravi, per la precisione – era una via di mezzo fra un giornalista e uno sbirro, e si portava appresso il cinismo delle due categorie insieme. Era stato un bell'uomo. Adesso aveva occhiaie profonde e scure, occhi sempre arrossati per le troppe sigarette, i troppi bicchieri, le troppe notti senza dormire. Comunicava un senso di trascuratezza deliberata, quasi un'intenzione di lasciarsi perdere perché il meglio era decisamente già passato.

Era stato l'unico ad avermi difesa sempre, anche quando tutti si erano esercitati a fare il tiro a segno sul bersaglio perfetto che ero diventata. Non mi dimentico i torti – oh no, proprio no – ma nemmeno i debiti di riconoscenza. Con lui ne avevo uno non piccolo.

Rispose dopo due squilli.

«Dottoressa Spada. Mi chiedevo quando mi avresti chiamato.»

«Dove sei?»

«Ah, sì, anch'io sono contento di sentirti.»

«Battuta nuovissima, complimenti. Dove sei?»

«Sono appena arrivato in redazione. Bizzarro per un giornalista, no? Hai incontrato Mario Rossi?»

«L'ho incontrato. Tu e io dobbiamo parlare. Vengo dalle tue parti e mangiamo qualcosa insieme.»

«Chi paga?»

«Tu. Facciamo all'una?»

«Non ce la faccio all'una.»

«Ok, all'una e mezza. Andiamo al solito posto e prenota, che a quell'ora è pieno di tuoi colleghi.»

Guardai l'ora sul cellulare. Era mezzogiorno, e da dove mi trovavo, ossia a due passi dal tribunale, fino al "Corriere" ci voleva una mezz'ora. Dunque avevo un'ora di troppo. Come sempre l'idea di un tempo non impegnato da qualcosa (che si trattasse di qualcosa di insignificante non aveva importanza) mi diede un sussulto di ansia. L'ideale sarebbe stato entrare in un altro bar e bere per far passare in un colpo solo il tempo e l'ansia. Riuscii a reprimere l'impulso, sentendomi infantilmente orgogliosa di me. Era una bella giornata, avrei passeggiato in centro, guardato le vetrine.

Arrivai comunque in anticipo. Entrai nel ristorante, dissi al cameriere che doveva esserci una prenotazione a nome Zanardi, il cameriere mi guidò fino a un piccolo tavolo apparecchiato per due. Attraversando il locale, che era già quasi pieno, vidi varie persone che conoscevo, perlopiù giornalisti ma anche un paio di avvocati. Qualcuno faceva un cenno di saluto, qualcuno distoglieva lo sguardo, qualcuno abbozzava un mezzo sorriso. Come faceva quella vecchia canzone? "Non so se ancora desto in loro, se m'incontrano per forza, la curiosità o il timore." Qualcosa del genere.

«Le porto dell'acqua, signora? Liscia o frizzante?»

«Acqua frizzante e una bottiglia di un qualsiasi Sauvignon. Scelga lei, basta che sia freddo.»

Zanardi arrivò abbastanza puntuale. Un paio di calici erano già andati via.

«Grazie per avermi aspettato.»

«Non c'è di che. Accomodati pure se non hai un altro posto dove sederti.»

Ordinammo tutti e due insalata greca.

«Da quando in qua mangi roba sana?» chiesi. «Che succede?»

Lui non mi rispose. Si versò un calice di vino, ne bevve metà, sospirò di sollievo.

«Non dovremmo bere a pranzo» disse.

«Hai ragione» replicai dopo aver vuotato il mio calice e averlo riempito di nuovo.

«Allora, Mario Rossi?» fece lui.

«Ci siamo visti stamattina.»

«Nel tuo ufficio?»

«Sì.»

«Che ti è parso?»

«Dimmelo tu.»

«Ti dico io cosa è parso a te?»

«Mi dici come ti è passato per la testa di mandarlo da me per quella roba? Sei impazzito?»

«Perché?»

«Perché è una stronzata. Come si può pensare che un privato, senza mezzi, senza niente – nel mio caso anche senza licenza – possa accettare un incarico del genere?»

«Tu non sei un privato.»

«Non dire cazzate.»

«Hanno fatto un'indagine schifosa. Non solo non hanno scoperto niente, ma hanno anche infamato quel ragazzo.»

«Mi piace l'uso estensivo che fai del termine *ragazzo*» dissi. «Avrà una cinquantina d'anni.»

«I cinquanta sono i nuovi trenta. L'ho letto su un giornale femminile. Perché non dai un'occhiata agli atti?»

«Non ci penso nemmeno.»

«Dai, Penny, non puoi vivere in questo modo. Perché non esci da questo torpore? Quello che è stato è stato…»

«Cosa ne sai tu del mio torpore?»

Zanardi alzò le mani. «Ok, scusa. Come non detto.»

Arrivarono i nostri piatti e per un po' mangiammo senza parlare.

«La questione è che mi avvilisce vedere come vivi. Che fai? Come campi? Con indagini da due soldi su beghe familiari?»

«Ho due appartamenti. In uno ci vivo, e l'altro lo affitto. E le beghe familiari, come le chiami tu, sono quelle che finiscono con le donne ammazzate» risposi. «Così, tanto per introdurre un dettaglio.»

«Va bene, va bene. Lo so, aiuti donne con problemi seri. Ma tu hai un talento che andrebbe usato, smettendo di pensare a quello che è accaduto. E di autocommiserarti, senza nemmeno avere il coraggio di ammetterlo. E che cazzo!»

«Sei carino quando ti arrabbi.»

Bevve un sorso di vino, gli andò di traverso, fece qualche colpo di tosse. «Sarà per questo che Ludovica mi ha lasciato.»

«Che dici? Quando? Perché?»

«Qualche settimana fa. Non sto tenendo il conto.»

«Ma perché?»

«Era solo questione di tempo. L'unica cosa che mi sento di dire, provando a guardarla dall'esterno, è che ci ha messo fin troppo a decidersi. Se fossimo i personaggi di un film che sto vedendo… be', farei il tifo per lei.»

«Ma sei fuori di casa?»

«No. Ovviamente mi ha dato una lezione di classe

anche su questo. Mi ha fatto un bel discorso – sai, di quelli per cui non puoi replicare nulla – e poi ha detto che, essendo quella casa mia, sarebbe stata lei ad andarsene. E lo ha fatto.»

«Come stai?»

«Di merda. A volte la solitudine a casa è insopportabile. Ma, ripeto, me la sono cercata. Alla fine è successo quello che doveva succedere.»

«Dov'è andata a stare?»

«Ci crederesti? Non me lo ha detto. "È più sano dare un taglio netto, dopo tutto questo tempo perso. Non voglio dire che sia solo colpa tua, anch'io sono responsabile della mia pigrizia e della mia vigliaccheria. Però adesso bisogna evitare inutili agonie. Dunque, per piacere non chiedermi dove vado, non cercarmi. Quando passo a prendere le mie cose ti avverto e ti sarei grata se non ti facessi trovare a casa. Forse un giorno o l'altro potremo essere amici. Forse." Ha detto più o meno così.»

«Cazzo.»

«Questa vicenda ti suscita riflessioni profonde e articolate, vedo.»

«Voglio proprio dire: cazzo. Brava. Scusami, lo so che non dovrei dirlo ora e non dovrei dirlo a te, ma: brava. Ci vogliono delle gran palle per fare una cosa del genere. Io non ne sono mai stata capace. O mi sono fatta lasciare o sono scappata via come una ladra. Scusa la domanda indelicata: ha un altro?»

«Non lo so. Ci ho pensato, me lo sono chiesto, ho ripercorso gli ultimi mesi ma non ho saputo darmi una risposta. Non mi stupirei che non avesse nessuno. Era troppo lucida, troppo fredda. Ma non lo so.»

Rimanemmo in silenzio per un poco.

«Leggi le carte di quell'indagine, per piacere» riprese. «Poi digli di no, se vuoi. Ma leggile.»

«Lo sai che questa è una scorrettezza, vero?»

«In che senso?»

«Come faccio a dirti di no, dopo quello che mi hai raccontato?»

«Appunto. Non puoi. Rossi non ha ucciso sua moglie. Non è giusto che quest'ombra rimanga su di lui e, incidentalmente, non è giusto che l'assassino la faccia franca.»

«Come fai a essere sicuro che non sia stato lui?»

«E ancora più incidentalmente, se mi hai chiesto di vederci volevi che ti convincessi ad accettare, anche se non lo ammetterai mai.»

Cercai una buona battuta per replicare, ma non la trovai. «Raccontami cosa pensi di questa storia. Come hanno lavorato, chi se n'è occupato, tutto.»

«Il sostituto procuratore è uno nuovo, arrivato in procura poco prima del fatto. Forse era addirittura il primo turno che faceva qui a Milano.»

«Com'è?»

«Non saprei dirti. Non simpatico, questo è certo. Poco incline a parlare con la libera informazione.»

«Cioè uno che non ti passa le carte sottobanco?»

«Hai sempre un modo un po' brutale di formulare i concetti. Comunque, sì. A parte quella vicenda, non mi risulta che sia collaborativo, né con me né con altri colleghi. È anche vero però che, a parte questo omicidio, non si è occupato di casi clamorosi.»

«Alla mobile chi ci ha lavorato?»

«Il dirigente della omicidi, si chiama Acciani.»

«Non me lo ricordo.»

«È arrivato dopo.»

«Com'è?»

Zanardi si strinse nelle spalle. «Normale anche lui, mi sembra. Certo non ha l'aria del tipo da grandi intuizioni e nemmeno di uno che si ammazza di lavoro.»

«Raccontami l'indagine.»

Zanardi riassunse l'indagine, che con ogni probabilità conosceva meglio dei poliziotti o del pubblico ministero. Era pacifico che la donna non fosse stata uccisa nel posto in cui era stata ritrovata. Le macchie ipostatiche indicavano che era rimasta per diverse ore da qualche altra parte, in una posizione diversa. Quasi certamente era stata portata lì in auto e scaricata.

«Il marito mi ha detto che non hanno trovato il cellulare, il portafogli, i gioielli.»

«È così. Volevano far credere a una rapina ma non se l'è bevuta nessuno. Spari in testa a una per rapinarla? Poi con tutta calma le togli gioielli – roba non di particolare valore, stando a quello che dice il marito –, portafogli e cellulare e poi ti prendi il rischio assurdo di trasportarla fino a Rozzano?»

«Cosa è emerso dai tabulati del cellulare?»

«L'ultima telefonata è stata con una cliente, che la polizia ha interrogato, come tutti gli altri. Dovevano vedersi il giorno dopo per una seduta di allenamento, a casa di questa donna. Dopo più nulla, solo traffico dati, il che significa probabilmente messaggi WhatsApp. Ma quelli, come sai meglio di me, se non si trova il telefono sono irrecuperabili. Hanno sentito tutte le persone con cui aveva parlato, risalendo fino a sei mesi prima del fatto, ma non ne è venuto fuori niente.»

Mi parlò degli accertamenti di polizia scientifica e degli esiti dell'autopsia. L'unica cosa interessante era che sugli abiti della vittima erano stati trovati peli di un cane bianco. Nessuno dei suoi clienti, nessuna delle persone – note – con cui era entrata in contatto il giorno dell'omicidio o anche in quelli precedenti aveva cani bianchi.

«Il cane del signore che ha trovato il corpo?»

«Un pastore belga. Nero.»

Dunque, forse l'assassino aveva un cane bianco. O forse la donna si era fermata ad accarezzare un cane bianco e quei peli non c'entravano nulla con l'accaduto.

«Perché le indagini si sono concentrate sul marito?» chiesi. «C'erano elementi concreti o è stato solo per mancanza di alternative?»

Zanardi fece un sospiro. «Scartata l'idea della rapina, in assenza di ogni altra ipotesi è naturale che uno pensi al marito, soprattutto in considerazione del fatto che i rapporti fra i due erano abbastanza deteriorati, e per colpa di lei.»

«In che senso?»

Zanardi ridacchiò. Fu subito chiaro quello che stava per dire e mi fece innervosire preventivamente. «Diciamo che lei era un po' vivace.»

«Vuoi dire che aveva altre storie?»

«Si intuiva. C'erano state delle liti violente, alcuni vicini una volta hanno sentito lui dirle che, se andava avanti così, l'avrebbe ammazzata. Ma lui sostiene che era solo una frase di esasperazione, e io gli credo.»

«Hanno preso in considerazione l'ipotesi di un maniaco o roba simile?»

«Roba simile a un serial killer? No, non per davvero, ma forse avevano ragione. Io stesso ho fatto qualche ricerca: non ci sono omicidi analoghi né prima né dopo. Non solo in zona. Se è stato un serial killer gli piace cambiare metodo. Insomma, non devo dirlo a te: gli omicidi nella stragrande maggioranza sono commessi da qualcuno di conosciuto, se non molto vicino alla vittima. Il marito era l'ipotesi più semplice.»

«Tu cosa pensi?»

«Penso che non sia stato lui.»

«Perché?»

«Prima di tutto: a suo carico non c'è niente, a parte l'assenza di ipotesi alternative, la situazione di conflitto familiare, qualche parola fuori posto per le scale del condominio. Poi, per quello che valgono le sensazioni: ci siamo parlati diverse volte, non mi ha mai dato l'impressione che potesse essere il colpevole. E infine, rimane la domanda: perché cercarmi, perché parlare con me, ripetutamente? Ogni volta ho percepito un'angoscia vera. Tanto più autentica quanto più cercava di dominarsi, di avere un atteggiamento razionale.»

Pensai a Mario Rossi, al suo lessico preciso, distante, quasi asettico. Poteva significare una cosa e il suo esatto contrario.

«Diciamo che se è stato lui è un attore formidabile» aggiunse.

«I sociopatici sono attori formidabili. I migliori.»

«Ti è parso un sociopatico?»

«No. Ma nessun sociopatico al primo incontro sembra un sociopatico. È la loro caratteristica fondamentale, per questo sono così pericolosi. Quello che volevo dire è che, se ti ha dato questa impressione di sincerità ed è lui l'assassino, potrebbe essere un sociopatico.»

«A volte faccio fatica a seguirti.»

«Anch'io faccio fatica a seguirmi, a volte. Comunque, lasciando perdere i sociopatici e ammettendo che la tua sensazione sia fondata, che ipotesi hai fatto, se ne hai fatte?»

«Andiamo a fumare una sigaretta?»

Svuotammo la bottiglia e uscimmo portando con noi i calici.

«Certo una bottiglia in due in pausa pranzo non è proprio quello che consigliano le guide sul benessere alimentare» disse porgendomi l'accendino.

«Non cominciare anche tu» ribattei, dopo aver poggiato il calice sul tettuccio di un'auto ed essermi accesa la sigaretta.

«Nel caso andiamo assieme alle riunioni degli Alcolisti anonimi.»

«Contaci, ci vengo di sicuro. Adesso dimmi che idea ti sei fatto su un possibile assassino diverso dal signor Rossi.»

«Negli atti non c'è niente che suggerisca un'ipotesi concreta. Però, diciamo per esclusione, ho pensato a un delitto legato a ragioni passionali.»

«Cioè un amante?»

«Un amante o qualcuna che ha scoperto che lei era l'amante del suo uomo.»

«E perché fai questa ipotesi?»

«Per esclusione, ti ho detto. Non riesco a immaginare un'alternativa.»

«Be', ammazzare qualcuno solo perché si è scopato il tuo uomo...» Lasciai in sospeso la frase. Quella era una cosa che mi era capitata un certo numero di volte. In qualche caso la faccenda era saltata fuori e c'erano state anche delle reazioni violente. Com'era quella frase di Peggy Guggenheim, la risposta alla domanda di un giornalista? "Quanti mariti ha avuto, signora?" E lei: "Intende i miei o quelli delle altre?".

«Chi lo sa?» rispose Zanardi. «Quello che succede nella testa delle persone in queste faccende è incomprensibile. Per me almeno.»

«Se aveva una relazione doveva risultare qualcosa dai tabulati. Hai detto che non c'era niente di rilevante.»

«No. Ma potevano comunicare con WhatsApp o qualche altra applicazione simile.»

«E non hanno trovato altre utenze.»

«No. Le hanno cercate e non le hanno trovate. Questo non significa che non esistessero.»

«Stai fornendo degli spunti fenomenali per una nuova indagine.»

«Leggi le carte. Sono sicuro che a te qualche idea verrà.»

«Sicuro. A parte il dirigente della omicidi, chi ha lavorato al caso? Voglio dire: dei vecchi ispettori.»

«Te lo ricordi Barbagallo?»

«Mano di Pietra?»

«Proprio lui.»

«Ma non l'avevano mandato via dalla mobile?»

«L'avevano mandato via, ma poi è tornato. Ha risolto un problema personale a uno importante e in cambio ha chiesto di poter rientrare alla mobile.»

«Uno importante? Un politico?»

Zanardi annuì. «Il figlio aveva fatto dei casini con le persone sbagliate e Mano di Pietra ha sistemato tutto alla sua maniera.»

«Va bene, adesso vado. Grazie per il pranzo.»

«Richiamerai Rossi?»

«Forse.»

«Se scopri qualcosa, mi prometti che sarò il primo a saperlo?»

«Ok.»

«Non so perché non mi sembri convincente.»

«Il tuo problema è questo, Zanardi: non ti fidi del prossimo. Ah, a proposito, dammi il numero di Barbagallo. Ne avevo uno, anni fa. Ma quella rubrica è andata, assieme ad altro.»

4

Arrivai ai giardini in tuta grigia, i capelli legati, e feci controvoglia una ventina di minuti di corsa leggera. Il riscaldamento, un dovere preparatorio che mi ha sempre annoiato. Tutte le fasi preparatorie mi hanno sempre annoiato; quelle per cui ci vuole pazienza, per cui bisogna saper aspettare, rispettare i tempi prestabiliti. Non ho mai saputo aspettare e la pazienza non è mai stata una mia qualità. Una delle ragioni per cui le cose sono andate in un certo modo, forse.

Finii la corsa arrivando nello spiazzo in cui ci sono gli attrezzi: parallele per i piegamenti, sbarre per le trazioni, anelli.

Ad allenarsi c'erano solo maschi. Le ragazze ci vanno poco in quella zona, un po' perché si tratta di esercizi che le donne di solito non sono capaci di fare; un po' perché arrivare in quello spiazzo in certe ore significa essere guardata come una preda, come un oggetto bizzarro, nel migliore dei casi con sorrisetti di sufficienza, dagli uomini che lo occupano militarmente.

Mentre sentivo addosso i loro occhi mi venne in mente una frase letta da qualche parte: gli uomini cercano le brave ragazze che facciano le cattive solo per loro; e le donne cercano i cattivi ragazzi che facciano i bravi soltanto per loro. Io i cattivi ragazzi, i presunti duri, li ho sempre trovati noiosi e patetici.

Senza volerlo toccai il calzino pieno di biglie. Se sai usarlo, il calzino è un'arma formidabile per difesa personale. Una via di mezzo fra un manganello e la fionda con cui Davide sconfisse Golia. Chi prende il colpo nemmeno capisce da dove è arrivato. Come quell'idiota che cercò di rapinarmi, proprio qui ai giardini Montanelli. «Dammi tutto quello che hai in tasca o ti ammazzo, troia.» Non troppo originale, a dire il vero. Obbedii dandogli quello che avevo in tasca. Sulla testa. Per la precisione: due volte, una per tempia, a destra e a sinistra. Andò giù come un sasso. Dovetti controllare l'impulso di dargli un calcio in faccia prima di andarmene.

Qualcuno dei ragazzi aveva davvero un bel fisico; quelli che si allenano a corpo libero hanno muscoli tonici e scattanti, non gonfi come quelli dei culturisti. Muscoli che danno l'impressione di servire a qualcosa.

Mi avvicinai a una sbarra per le trazioni e aspettai che uno dei ragazzi finisse la sua serie. Anche se fingevano di continuare ad allenarsi avevano tutti gli occhi su di me. Una donna che prova a fare le trazioni. Guardiamola arrancare per cercare di farne almeno una.

Fra tutti gli esercizi di pura forza fisica – in realtà, anche se in pochi lo capiscono, la forza è un'abilità – tirarsi su con le braccia è sempre stato il mio preferito, da quando, bambina, mi arrampicavo sugli alberi. Penso che il mio distorto senso del pericolo sia nato proprio sui rami degli alberi, in alto dove nemmeno i maschi più agili avevano il coraggio di avventurarsi. Tutte le volte che ho afferrato un ramo all'ultimo secondo, quando stavo per cadere, ho imparato la lezione sbagliata. Ho pensato di essere infallibile e invulnerabile. Il motivo – uno dei motivi – per cui ho fatto tante incommensurabili cazzate, dopo. Stando su alberi meno materiali e più pericolosi.

La nonna diceva che le cose più stupide le fanno le persone più intelligenti. Le persone molto intelligenti fanno errori catastrofici non *nonostante* la loro intelligenza, ma proprio *a causa* della loro intelligenza.

Quando sei molto dotata in un campo specifico, molto veloce per esempio a risolvere problemi matematici, sei incline a pensare che questa velocità valga per tutto. Sei propensa a formulare giudizi immediati e definitivi, a non cogliere la complessità delle situazioni.

Pensi che, siccome è andata bene fino a quel punto, continuerà ad andare bene sempre. Perdi – ammesso che tu l'abbia mai avuta – la visione delle varie possibilità. Del fatto che, per minimi dettagli indipendenti dal tuo controllo, le cose potrebbero andare diversamente. Una volta o l'altra *andranno* diversamente. Se una di quelle volte che sei passata quasi volando da un ramo all'altro, il legno avesse ceduto sotto il tuo peso, d'un tratto tutto sarebbe cambiato. Tutto, forse, sarebbe finito. È quello che è accaduto alla tua vita adulta. È andato sempre tutto bene, nonostante le azioni spericolate, fino a quando qualcosa non si è inceppato.

Quando ti comporti sempre in modo temerario non contempli la possibilità dell'errore e tantomeno la possibilità della catastrofe. È come il gioco d'azzardo, un modo per sfuggire alla sensazione insopportabile che non abbiamo il controllo delle nostre vite.

"Va bene" mi dissi, "può bastare."

Feci un piccolo balzo, mi appesi, aggiustai la presa, feci un respiro profondo e cominciai.

Dieci trazioni; poi venti piegamenti sulle braccia; poi venti piegamenti a gambe unite con lo slancio e il salto. Pausa di recupero, con quelli che guardavano, senza più sorrisetti di sufficienza. Passato un minuto rifeci il circuito una seconda volta, poi ancora una terza.

Mi domandai se qualcuno avrebbe provato a rimorchiarmi. Se l'avessero fatto l'avrei considerato una forma di molestia. Nessuno dei ragazzi però mi rivolse la parola e, in perfetta coerenza, la cosa mi infastidì.

Sulla strada di casa decisi di fare la spesa: quella sera non avevo proprio voglia di mangiare fuori, né da sola né tantomeno in compagnia. Avevo già ignorato un paio di messaggi di quello della notte prima – perché gli avevo dato il mio numero? – e sperai non fosse un tipo ostinato.

Entrai nel mio supermercato preferito, quello con un bel reparto di prodotti etnici, a due passi da casa, e dopo mezz'ora ne uscii con quattro buste rigonfie. Ogni tipo di cibo biologico e sano, ma anche due bottiglie di bianco, due di rosso, e una di Kentucky bourbon. Quella che era a casa stava per finire.

Ogni tanto pensavo all'assurdità delle mie abitudini alimentari e in genere del mio cosiddetto stile di vita. Ero attentissima a quello che mangiavo, a quello che compravo: alimenti biologici, niente carne, farine integrali, sì a bacche di goji e simili, frutta secca, verdure e in genere cibi crudi, pesce azzurro o al massimo ricciola (perché nel tonno ci sono i metalli pesanti e nel salmone gli antibiotici), niente fritti, niente grassi animali, niente farine bianche eccetera. Insomma, la perfetta alimentazione della salute. Poi però fumavo quasi un pacchetto di Lucky Strike al giorno, per non parlare degli alcolici. Facce diverse della stessa incapacità di trovare un equilibrio, qualunque cosa significhi.

Nel supermercato avevo incrociato una coppia che litigava, a quanto pareva per questioni di soldi. Li avevo ritrovati alla cassa e litigavano ancora e nei loro occhi c'erano stanchezza, tristezza e rancore.

Arrivai a casa, feci la doccia, preparai la cena. Sanissima, appunto: ricciola scottata, cavoletti di Bruxelles, un paio di fette di pane integrale, frutti di bosco con una pallina di gelato di soia. Per compensare l'eccesso di disciplina alimentare della cena, aprii una bottiglia di vino e ne bevvi più di metà. Poi mi versai due dita di bourbon con molto ghiaccio, ma promisi a me stessa che l'avrei bevuto lentamente. Evitai di promettere che non me ne sarei versato un altro.

A quel punto era ancora molto presto e c'era da far

passare il tempo prima di andare a letto. Frase idiota: il tempo passa benissimo da solo, senza nessun bisogno del nostro aiuto. Comunque vidi un paio di episodi di "Black Mirror"; poi mi presi cura di Valentina, la mia magnolia bonsai. La potavo e le parlavo e ogni tanto mi dicevo che forse sarebbe stato meglio decidermi a prendere un cucciolo. Parlare con un cucciolo è un po' meno bizzarro che parlare a una pianta.

Alla fine andai a letto, provai a leggere un po' ma gli occhi mi si chiudevano dal sonno e non riuscivo a seguire una parola. Così spensi la luce per dormire – e naturalmente il sonno passò. Rimasi stesa al buio, con il viso rivolto verso l'alto, pensando agli eventi di quel giorno, alla storia di Mario Rossi, a ciò che avrei dovuto o non avrei dovuto fare.

Una pessima idea: ogni residua possibilità di addormentarmi si dissolse.

Dentro di me si scatenò un accanito dibattito. Una parte diceva che in fondo potevo guardare quegli atti, senza impegnarmi a nulla, senza creare inutili illusioni. Giusto un'occhiata, per vedere se caso mai esisteva uno spunto investigativo trascurato, un'idea che ai poliziotti e alla procura non era venuta. Un'altra parte diceva invece di lasciar perdere: la persona che ero quando mi occupavo di quelle cose era andata per sempre, quell'esistenza era andata per sempre, cercare di riportarle in vita era solo una velleità patetica e triste. A questo seguirono altre cose, altre ruminazioni, altre recriminazioni, altra angoscia, altra rabbia.

Quando il tutto cominciò a diventare insopportabile, pensai alle Erinni che spingevano la gente alla pazzia alzando il volume del loro monologo interiore. A quel punto il Tavor – di cui avrei voluto fare a meno – diventò inevitabile. Lo buttai giù con mezzo bicchiere d'acqua e per sicurezza completai con un po' di bourbon.

Un quarto d'ora dopo, o forse meno, sprofondai in un sonno plumbeo di cui non avrei ricordato i sogni.

5

Lo so benissimo che i sogni ci sono comunque, anche se uno non se li ricorda. Ma si può dire che una cosa esiste se nessuno la percepisce e nessuno la ricorda? Soprattutto se non è una *cosa* ma solo una fugace rappresentazione della mente che dorme? Non lo so, ho molti dubbi.

Comunque mi svegliai riposata e con l'idea, del tutto incongrua rispetto al turbine della notte prima, di avere un piano.

Feci colazione con yogurt, avena, miele e noci. Poi mi versai un caffè americano, accesi una sigaretta e senza stare troppo a riflettere chiamai Barbagallo al numero che mi aveva dato Zanardi.

«Chi è?»

«Penelope Spada.»

Dall'altra parte, ovunque fosse, ci fu una lunga pausa. «Dottoressa…» Il tono si era trasformato.

«È passato un po' di tempo, in effetti. Come stai?»

«Divento vecchio. Ma sto bene, tutto sommato bene.»

«Ti alleni sempre?»

«Mi alleno, ma diventa ogni giorno più difficile. Ci sono dei ragazzini che picchiano come fabbri, sono veloci e non hanno rispetto. Poi ho messo su qualche chilo. Lei come sta?»

«Divento vecchia ma anch'io tutto sommato sto bene.»

Indugiò qualche secondo. «Mi dica cosa posso fare per lei.»

«Riusciamo a prenderci un caffè? C'è una cosa di cui vorrei parlarti.»

«Quando vuole.»

«Hai impegni stamattina?»

«Sono di testimonianza. Un cornuto rumeno che avevo arrestato per una rapina, quando ero al commissariato di Cinisello Balsamo. Lo sa che sono tornato alla mobile?»

«Lo so. Hanno fatto bene a riprenderti.»

«La chiamo appena finisco e mi dice dove la devo raggiungere?»

«Vengo lì io, così se ti sbrighi subito ce ne andiamo a prendere il caffè da qualche parte, altrimenti parliamo mentre aspetti che chiamino il tuo processo.»

Lui esitò un istante prima di rispondere. «È sicura che vuol venire in quel posto?»

Feci una smorfia che non vide nessuno. No che non ero sicura di voler andare al Palazzo di Giustizia, non ci ero mai tornata. Ma quella frase mi era scappata; come al solito avevo parlato, o agito, senza pensare, e come al solito non ero capace di tirarmi indietro. Non ho mai avuto abbastanza coraggio per dare spazio alle mie paure. È per questo che hanno preso il sopravvento.

Risposi che sì, ero sicura, e che non c'erano problemi. Ci saremmo visti alle dieci davanti all'aula del tribunale in cui Barbagallo era stato citato come testimone.

Da casa al Palazzo di Giustizia era poco meno di un quarto d'ora. Ci arrivai cercando di concentrarmi sui passi, uno dopo l'altro, per non pensare.

E "Non pensare" mi dissi mentre mi avviavo all'ingresso destinato al pubblico, sperando che ai controlli non ci fossero carabinieri che conoscevo.

Dopo aver mostrato la patente passai dal metal detector e mi ritrovai nell'atrio. Fu in quel momento che mi prese la vertigine: per qualche istante un velo nero mi calò davanti agli occhi, impedendomi di vedere quello che mi stava attorno.

Lungo respiro. *Mantieni il controllo, ti prego.* Altro lungo respiro. Un altro ancora.

Mantieni il controllo. Ti prego.

La cacofonia formicolante di quell'atrio si attenuò, le immagini ritornarono a fuoco. La prima cosa che feci, recuperato un minimo di controllo, fu guardarmi attorno per vedere se qualcuno si fosse accorto di qualcosa, se qualcuno mi avesse riconosciuta. Però nessuno mi guardava, nessuno dava segno di aver notato qualcosa. Tutti procedevano rapidi, anzi, affrettati, estranei gli uni agli altri. Pezzi di un meccanismo complicato e privo di un senso apparente.

Quando mi sentii più sicura sulle gambe presi a camminare, prima con circospezione, poi in modo quasi normale, e in breve mi ritrovai su un itinerario che avevo fatto un numero infinito di volte, nell'altra vita. Tenevo gli occhi fissi in avanti, per evitare qualsiasi sguardo, qualsiasi possibilità che qualcuno mi salutasse o addirittura provasse a fermarsi per parlarmi.

Barbagallo era già lì e mi stava aspettando. Mi venne incontro con un sorriso ampio, quasi fanciullesco, stridente su quella faccia che di regola faceva paura, segnata da un lungo sfregio, una bottigliata durante un arresto finito male.

«La posso abbracciare, dottoressa?»

Mi venne da piangere. Dopo un attimo di esitazione, dall'una e dall'altra parte, ci abbracciammo. Sentii le sue spalle e le sue braccia muscolose, l'odore di pelle del suo giubbotto, un sentore vago di dopobarba. Uno di quegli uomini che non erano passati alle creme idratanti.

«Prima di tutto facciamo una cosa, Rocco» dissi quando ci fummo separati. «Diciamo che dall'ultima volta che ci siamo visti le cose sono un po' cambiate. Allora per piacere smetti di darmi del lei. Era già discutibile che io ti dessi del tu e tu mi dessi del lei quando io facevo il pubblico ministero e tu eri un poliziotto. Adesso tu sei ancora un poliziotto, io non sono niente, quindi…»

Barbagallo mi interruppe, con una espressione molto seria. «Dottoressa, lei mi può chiedere qualsiasi cosa. Io gliel'ho già detto una volta, tanti anni fa, e nulla è cambiato. Se c'è bisogno io mi butto nel fuoco. Però non mi chieda questo perché per me lei sarà sempre quella di allora, qualunque cosa sia successa. Io sono un soldato e per me funziona così. Quindi io continuo a darle del lei e lei continua a darmi del tu. E ora chiudiamo questo discorso che mi vorrei rilassare e non essere costretto a usare tutti questi congiuntivi. Che, come sa, non sono mai stati il mio forte.»

In quel momento l'ufficiale giudiziario uscì dall'aula e chiamò la causa in cui doveva testimoniare Barbagallo. Il processo fu rinviato per un difetto di notifica e così dieci minuti dopo eravamo fuori dal Palazzo di Giustizia.

«Andiamo a prenderci un caffè da qualche parte. Magari facciamo due passi ed evitiamo i bar pieni di avvocati.»

«C'è il posto di un mio amico dove possiamo sederci e parlare in pace» disse lui.

Arrivammo in questo bar vicino al Policlinico, ci sedemmo e ordinammo i caffè.

«Mi ha detto Filippo Zanardi che hai lavorato alle indagini sull'omicidio Baldi. Ricordi il caso?»

«Certo, credo che sia stato archiviato. Non abbiamo concluso niente.»

«Il marito mi ha chiesto di leggere le carte perché vorrebbe un consiglio.»

Spiegare che in realtà non avevo promesso nulla e che stavo solo cercando di capire cosa fare mi parve inutilmente macchinoso.

«Ma si occupa di investigazioni private adesso, dottoressa?»

«Detta così sembra molto ufficiale. Diciamo che ogni tanto qualcuno mi chiede un'opinione. O mi chiedono di controllare se qualche ragazzino si sta mettendo nei pasticci. Ho tanto tempo libero e allora, quando posso, quando mi sembra giusto, lo faccio. Il procedimento su Rossi è stato archiviato e dunque non ti chiedo di violare alcun segreto investigativo. Vorrei solo sapere la tua opinione sull'indagine, sul pubblico ministero, tutto. Prima di guardare le carte voglio capire se ne vale la pena. Se ha senso.»

Barbagallo non fece domande; non chiese che gli spiegassi meglio; non fece commenti sulla stranezza della mia richiesta. Difficile dire quanto gli fui grata, per questo.

«Del pubblico ministero so dirle poco. Mi sembra uno di quelli che non gli importa di niente, che non vogliono seccature. Però ci ha lasciato lavorare. Quando chiedevamo un provvedimento diceva di portarglielo già scritto e firmava tutto. Dava solo uno sguardo e firmava, senza cambiare una parola. Molto diverso da lei, diciamo l'opposto.»

«Il tuo dirigente? Acciani, si chiama, giusto? Com'è?»

«Non è uno sbirro. È uno di quelli che volevano fare il magistrato, non gli è riuscito e ha ripiegato sul concorso in polizia. Ragiona come un magistrato. Senza offesa. Un brav'uomo, ma credo che non abbia mai parlato con un confidente in vita sua.»

«Dimmi cosa pensi dell'indagine. Cosa pensi del marito.»

Mano di Pietra si grattò la testa, fece una smorfia come per concentrarsi e trovare le parole giuste. «Eravamo abbastanza sicuri che fosse stato lui.»

«Perché?»

«Non c'erano altre ipotesi serie. Nessun contatto telefonico quel pomeriggio, nessuna relazione recente con altri uomini, nessun coinvolgimento in giri strani, droga o simili, nessun sospetto di niente. I rapporti con il marito erano difficili, lei voleva separarsi, c'erano state delle liti violente. Una volta lui le aveva gridato che l'avrebbe ammazzata, qualcosa del genere. Una signora che abita nel palazzo ha anche detto di aver sentito un rumore molto forte, nei giorni precedenti il ritrovamento.»

«Vuoi dire come uno sparo?»

«Potrebbe essere, ma non so. Ho sentito io la signora. È anziana. Non mi è parsa rimbambita ma nemmeno perfettamente lucida. Ha ripetuto un paio di volte questa storia del rumore forte... un botto, diceva. Le ho chiesto che tipo di botto ma lei non sapeva dire. Era come un petardo?, le ho chiesto io. Uno scoppio? Lei ha detto di sì.»

Era la tipica domanda che influenza il teste e che, spesso involontariamente, suggerisce la risposta voluta. Lo sapeva anche lui, si capiva dal modo in cui me l'aveva raccontata.

«Veniva dall'appartamento di Rossi, questo botto?»

«Non ha saputo dirlo.»

«E quando lo avrebbe sentito?»

«Neanche questo ha saputo dirlo con precisione. Qualche giorno fa, ha detto.»

«Le liti violente si sono verificate a ridosso dell'omicidio? Quanto tempo prima?»

«No, non era una cosa recente.»

«E lui? È stato mai interrogato? Tu ci hai parlato?»

Rocco scosse la testa. «Non credo sia stato mai interrogato. Io ci ho parlato, ma poco, quando andammo a fare la perquisizione.»

«Che impressione ti ha fatto?»

«Era calmo. Forse troppo, ma non lo so. Magari aveva preso qualche medicina.»

«Hai detto che eravate abbastanza sicuri che fosse stato lui. Però non avete trovato niente.»

Mano di Pietra si schiarì la voce. «Non abbiamo trovato niente, è vero. Niente dai suoi telefoni, niente dalle celle agganciate. Nulla su Rozzano. Questo significa poco, certo. Se è stato lui può semplicemente aver lasciato il telefono a casa quando è andato a scaricare il corpo... Lo sa che il corpo è stato trovato alla periferia di Rozzano?»

«Sì.»

«Ma non è stata uccisa là.»

«Lo so.»

Barbagallo si passò la mano lungo lo sfregio che gli attraversava la guancia sinistra. «Così Rossi le ha chiesto di riguardare le carte. Cosa vuole, esattamente?»

«Dice che vuole che si scopra il vero assassino, che vuole pulire il suo nome. Pare che l'archiviazione sia

brutta, che parli di inquietanti sospetti e roba simile.»
Feci una pausa. «Se è davvero innocente non ha tutti
i torti. E del resto se fosse colpevole perché smuove-
re le acque? Ti hanno archiviato, magari qualche frase è spiacevole, ma se sei il colpevole che te ne frega?»

«E lei che farà?»

«Mi guarderò le carte. Poi deciderò che fare. Ma dimmi una cosa, avete provato a verificare se ci fosse qualche possibile pista criminale? Magari davvero una rapina finita male o qualcosa di simile?»

«Se l'hanno uccisa per rapina io mi metto a fare il sa-
lumaio. Era chiaramente una messa in scena. La donna
non è stata uccisa dove l'abbiamo trovata. Quale rapi-
natore da strada ammazza la vittima con un colpo di
pistola alla testa e poi si prende la briga, e il rischio, di
trasportarla in macchina e scaricarla in periferia? No,
se fai una rapina per strada e finisce male, scappi a tutta velocità. Secondo me la donna è stata uccisa in un
posto che l'avrebbe ricollegata subito all'assassino. Un
appartamento, un magazzino, un cortile. Per questo chi
l'ha uccisa si è preso l'impegno, correndo un rischio
non da poco, di trasportare il cadavere e abbandonar-
lo dove lo abbiamo trovato. È stata uccisa da qualcuno
che lei conosceva. E le dico un'altra cosa, dottoressa.»

«Cosa?»

«Poteva non essere solo. La vittima non era piccola
e gracile. Era un'atleta, come lei. Trasportare un corpo
morto non è facilissimo se sei da solo.»

«E se l'avessero uccisa in quei paraggi?»

«E che ci faceva a Rozzano?»

«Non lo so. Magari era coinvolta in qualche traffico di cui non sappiamo niente.»

Mano di Pietra mi guardò con aria scettica. Rimanemmo per un poco senza dire niente.

«Devi farmi un favore.»

«Qualunque cosa.»

«Voglio che tu faccia finta di credere alla possibilità che l'omicidio sia maturato in un contesto di criminalità, che la donna fosse coinvolta in qualche traffico illecito.» Lui provò a ribattere ma lo fermai con un gesto della mano. «Aspetta. Voglio che tu faccia finta di crederci e che metta in giro la voce fra i tuoi confidenti. Voglio che tu chieda se hanno mai sentito qualcosa su questo fatto, se qualcuno conosceva la donna o se conosceva qualcuno che la conosceva. A quelli di cui ti fidi di più chiedi se à loro volta possono domandare in giro.»

«Non ne viene fuori niente, dottoressa. Non è un fatto di criminalità.»

«È probabile. Tu fallo lo stesso, non ne verrà fuori niente e io mi farò passare questa idea bizzarra dalla testa.»

Barbagallo sospirò. «Va bene. Parlo con un po' di gente e metto in giro la voce. Fra qualche giorno la richiamo.»

Uscimmo dal bar.

«Grazie, apprezzo molto» dissi. «Soprattutto perché sei convinto che sia un'idea priva di senso. Il che probabilmente è vero.»

Lui fece una strana smorfia, come di chi vuol dire qualcosa e non trova le parole adatte. «Le hanno fatto una porcata, dottoressa. Una vera porcata. Ha pagato per tutti e questo non è giusto. Sono contento di avere avuto l'occasione di dirglielo.»

«Ho pagato perché ho fatto una serie di enormi cazzate, Rocco. E sull'argomento non c'è molto altro da dire.»

6

Mario Rossi rispose dopo due soli squilli.

«Sono Spada.»

«Sì, avevo salvato il suo numero.»

«Quando ha dieci minuti vorrei parlarle di persona. Al bar dove ci siamo già visti, oppure dove preferisce.»

«Il bar va benissimo.»

«Per lei quando è possibile?»

«Ho un appuntamento con un cliente ma posso essere da lei fra un'ora.»

«Porti la chiavetta con gli atti.»

«Sì, a fra poco. Grazie.»

Il secondo incontro con Rossi assomigliò molto al primo eppure fu molto diverso. Lo schema fu uguale: io ero già al bar di Diego, lui entrò, mi arrivò davanti, mi tese goffamente la mano e si sedette. Però sembrava fossero passate settimane dal nostro primo incontro e non solo un giorno.

Sapevo bene che avendo ormai deciso di occuparmi della questione ero molto più disposta a considerare la sua innocenza e a osservare lui e tutto il resto alla luce di quella decisione. E sapevo altrettanto bene che bisogna diffidare di quel meccanismo perché il desiderio di legittimare le nostre scelte riduce lo spirito critico e la capacità di osservare le cose con lucidità.

Ma sapere bene come funzionano i meccanismi interni non è di grande utilità. Funzioneranno comunque allo stesso modo, nel migliore dei casi potrai osservarli.

«Zanardi ha insistito perché guardassi le carte del suo procedimento. Sembra convinto della sua innocenza.»

Rossi parve imbarazzato. Come chi abbia ricevuto un complimento che gli fa piacere ma che non crede di meritare. Non del tutto, almeno. Facevo fatica a decifrare quell'uomo.

«Ieri mi ha detto che vuole che si indaghi ancora sulla morte di sua moglie innanzitutto per eliminare ogni ombra su di lei.»

«Sì, soprattutto per mia figlia.»

«Cos'altro vuole?»

«Voglio che sia scoperto il responsabile. Ovviamente. E voglio sapere la verità sulla sua vita e quindi sulla mia vita» aggiunse dopo qualche istante e dopo un lungo sospiro. «Voglio sapere se quando è morta aveva un altro e se quest'altro, se questa storia, c'entrano con la sua morte. Lo sapevo che aveva avuto delle avventure e anche delle relazioni: era una donna inquieta e io non sono stupido. Sono mediocre, come pensava Giuliana, ma non sono stupido. Qualcosa nella mia testa sin dall'inizio mi diceva che avrei fatto bene a non scegliere lei come compagna di vita. Ma c'è mai qualcuno che ascolti i consigli, che vengano da sé stesso o da altri?»

"No, nessuno ascolta i consigli, hai ragione."

«Non io, certamente. Posso capirla.»

«Lei era incline a cercare il limite, era una donna insoddisfatta. Della vita che aveva avuto e della vita che, sapeva, avrebbe avuto in futuro. Detestava la mediocrità, lo diceva o lo faceva capire. Lo so che era piena di rabbia contro di me.»

«Perché?»

«Perché io ero il principale simbolo del suo fallimento. O meglio, di quello che lei considerava il suo fallimento. Non avere la vita che desiderava. Disprezzava il mio lavoro.»

«Che lavoro fa?»

«Ho una piccola agenzia immobiliare.»

«Scusi, l'ho interrotta. Vada avanti.»

«Giuliana diceva sempre che non avevo ambizioni. Era insofferente al fatto che per qualsiasi spesa fuori dall'ordinaria amministrazione familiare dovessimo fare dei conti e vedere cos'era possibile e cosa no.»

"Ordinaria amministrazione familiare." Ancora quel modo di esprimersi, burocratico e distante. Adesso ero più incline a considerarlo un tentativo di collocare lontano da sé, in prospettiva, in un campo lungo della memoria, ricordi e sensazioni dolorosi. Forse era sempre stato il suo modo di esprimersi. Una naturale freddezza, una incapacità di avvicinarsi al cuore delle cose e dei sentimenti. Magari era questo che Giuliana disprezzava, e non il lavoro, i guadagni di suo marito; non il tipo di vita che le faceva fare.

«Giuliana non era una donna facile e credo che mi abbia sposato per ripiego» continuò Rossi. «Usciva da una brutta storia, viveva male gli anni che passavano. Sa, tutte quelle faccende dell'orologio biologico. E infatti ha voluto subito fare un figlio. Ha preso me perché ero a portata di mano. Forse me ne sono reso conto subito, ma l'ho negato per molto tempo. Chi ha voglia di ammettere una cosa del genere?»

Di nuovo, non potevo dargli torto. «C'erano liti?»

«Ci sono state, sì.»

«Anche violente? Anche con percosse?»

Non distolse lo sguardo. «È capitato.»

«Vuol dire che lei ha picchiato sua moglie?»

«Non l'ho picchiata. Cioè, sì, insomma, una volta le ho dato uno schiaffo e una volta le ho dato un pugno. Ma non in faccia, sulla spalla.»

«Quindi l'ha picchiata?»

«Voglio dire che in tutti e due i casi è stato uno scatto, ho perso il controllo ma non l'ho *picchiata* nel senso... come dire, non l'ho colpita più volte.»

Sospirò. Un gesto di frustrazione e di tristezza. Aspettai che trovasse le parole per continuare.

«Non sto cercando una giustificazione. Lo so benissimo che è una cosa sbagliata cedere alla violenza, anche solo per uno schiaffo. Ho sbagliato ma per capire, non per giustificare, bisogna conoscere il contesto.»

«Me lo racconti, allora, il contesto.»

«Giuliana aveva un modo tutto suo, efficacissimo, di provocare. Ti portava all'esasperazione e, quando perdevi la calma, ti diceva, con un tono tranquillissimo, che non eri capace di discutere senza infuriarti. Era colpa tua, non sua. Sempre. Ci ho ripensato spesso, dopo. Credo fosse una forma di esercizio del potere, forse anche un modo per nascondere le sue fragilità. Di sicuro poteva essere insopportabile. Poche cose fanno saltare i nervi, quando sei arrabbiato, come sentirti dire che dovresti stare calmo.»

Conoscevo il metodo, lo schema. Tante volte avevo fatto la stessa cosa, proprio nello stesso modo, secondo la stessa sequenza. Mi sentii quasi in imbarazzo, come se Rossi stesse parlando di me.

«Infatti adesso mi sento in colpa... voglio dire, a farle questo racconto. Nell'ultimo periodo però le cose fra noi erano un po' migliorate. Lei sembrava...»

Fu la prima volta che mostrò un vero segno di cedimento.

«Sembrava più dolce. Forse non era proprio la parola adatta per lei ma aveva delle attenzioni... non so come dire. A volte era gentile.»

Tirò su col naso. Lasciai passare qualche istante. «I due episodi, lo schiaffo e il pugno, a quando risalgono?»

«A parecchio tempo fa. Più di un anno prima della sua scomparsa. Come le ho detto, nell'ultimo periodo la situazione era più tranquilla.»

«Ha detto anche che quando vi siete conosciuti lei usciva da una brutta storia. Con chi?»

«Me lo ha chiesto anche la polizia. Ma lui è morto diversi anni fa, poco dopo il nostro matrimonio.»

Respirai a fondo cercando di riordinare le idee. «Voglio chiarire alcune cose con lei, prima di andare avanti. Una gliel'ho già detta ieri, ma preferisco ribadirla a scanso di equivoci: che un'indagine di omicidio diventi più difficile in modo direttamente proporzionale al tempo trascorso dal fatto non è un luogo comune, anche se ormai lo si può sentire in qualsiasi fiction da quattro soldi. Questo vale per la polizia, i carabinieri e la procura, con tutti i mezzi di cui dispongono. A maggior ragione vale per un tentativo di indagine privata. Non ho mai sentito parlare di un caso di omicidio risolto con una indagine privata nel mondo reale. Mi segue?»

«Sì, la seguo.»

«Fatta questa premessa, passiamo a un punto forse ancora più importante: immaginiamo l'imprevedibile, che io abbia un colpo di fortuna e scopra qualcosa. Anche laddove si verificasse questa eventualità, sarebbe comunque piuttosto improbabile che io riesca ad acquisire elementi di fatto concreti, utili alla procura per iscrivere un nuovo procedimento.»

Lo guardai negli occhi. Stava ascoltando con attenzione, ma era difficile decifrare cosa pensasse.

«Quello che voglio dire è che potrebbero venir fuori elementi su qualcuno, senza alcuna conseguenza pratica. E a questo proposito ho una domanda per lei. Cosa farebbe se io le dicessi: probabilmente è stato Pinco Pallino per questo e quest'altro motivo, ma nessuno degli elementi emersi ci consente di farlo arrestare e condannare?»

«Pensa che voglia farmi giustizia da solo?»

«Me lo dica lei.»

«Non lo so. Non ci ho pensato. Non ne sarei capace. Credo che andrei in procura per chiedere di riaprire le indagini.»

«Parlavo proprio dell'eventualità che questo non fosse possibile.»

Rossi sospirò. «Vorrei che il colpevole fosse arrestato e condannato, ma la prima cosa per me è poter dare una risposta a mia figlia, quando mi chiederà di sua madre.»

Pronunciò le ultime parole con la voce quasi spezzata e d'un tratto mi fece pena.

«Come si chiama sua figlia?»

«Sofia.»

«Non ho licenza di investigatore privato. Non ho nessuna veste formale per svolgere indagini di qualsiasi tipo e, inutile dirlo, non potrò farle né fattura né alcuna relazione scritta. Il mio lavoro è del tutto irregolare. Se dovessi scoprire qualcosa, dovrà accontentarsi che glielo dica a voce. Tutto il resto sarà un problema suo.»

«Non ho bisogno di relazioni scritte o di fatture. Voglio solo che lei ci provi.»

Non c'era molto da aggiungere. Mi schiarii la voce. «Guarderò gli atti e vedrò se esistono spiragli investigativi. Mi ci vorrà qualche giorno. Può darsi che abbia anche bisogno di venire a casa sua.»

Sul viso gli si disegnò un'espressione di enorme sollievo. «È stata molto chiara, grazie.» Esitò un poco. «Ho con me duemila euro. Vanno bene come anticipo?»

Andavano bene come anticipo? Non lo sapevo. Forse erano troppi, per leggere gli atti. L'unica cosa che avrei potuto fare, con ogni probabilità. Dissi che andavano bene, perché non sapevo cos'altro dire.

Mi consegnò una busta con i soldi e la chiavetta con gli atti. Misi tutto nelle tasche interne del giubbotto e, come fossimo stati davvero in un mio ufficio, lo accompagnai alla porta.

«Posso chiederle una cosa, dottoressa?» disse quando già ci eravamo stretti la mano.

«Dica.»

«Perché ha cambiato idea e ha deciso di accettare?»

«Non lo so. Ma dal punto di vista pratico ha poca importanza.»

In effetti non lo sapevo. O non volevo saperlo.

Ma dal punto di vista pratico aveva poca importanza.

7

Avrei dedicato il pomeriggio e la sera allo studio degli atti. L'idea mi diede una specie di euforia, un misto di nostalgia e allegria che cercai stupidamente di reprimere. Sono esperta di cose stupide. Reprimere le sensazioni di allegria o addirittura di contentezza è fra le mie specialità.

Andai a mangiare in un ristorante thailandese perché mi era venuta voglia di zuppa *tom yam*.

Camminando verso casa cambiai strada vedendo un avvocato con cui, nella vita precedente, ero uscita per qualche settimana. Un tempo interminabile, considerato il soggetto. La conversazione era noiosa, il sesso a tratti soporifero, a tratti deprimente. Non so se mi vide e se si accorse della mia manovra per evitarlo. Io mi resi solo conto del fatto che non mi ricordavo il suo nome.

A casa mi feci un caffè americano, lo corressi con un po' di bourbon, inserii la chiavetta nel computer, accesi una sigaretta e cominciai.

L'indagine, a prima vista, non era fatta male. Gli accertamenti di routine per casi del genere sembravano esserci tutti, ma ugualmente mi imposi di leggere con accuratezza dall'inizio alla fine. Quando facevo il pubblico ministero e magari dovevo preparare un'udienza su un fascicolo non mio, usavo un metodo molto diverso. Leggevo velocissima, cercavo l'essenziale e mi fidavo della mia capacità di improvvisare in udienza. Corrispondeva a come sono, quel metodo, ed era indispensabile per sopravvivere nel mare di fascicoli che ogni giorno mi passavano per le mani.

Quel pomeriggio però dovevo cercare le eventuali falle, le omissioni dell'indagine, ammesso che ci fossero. E la rapidità – in realtà spesso si era trattato di fretta, che è una cosa molto diversa – non era lo strumento adatto.

Per cominciare lessi la richiesta di archiviazione e il relativo decreto: una paginetta ciascuno. Il pubblico ministero era stato più asettico e si era limitato a dire che le indagini su Rossi Mario non avevano consentito la trasformazione degli iniziali sospetti in elementi di prova, dunque che non sussistevano i presupposti per l'esercizio dell'azione penale.

Il giudice per le indagini preliminari che aveva accolto la richiesta di archiviazione ci aveva messo del suo, usando fra l'altro quell'espressione – "inquietanti sospetti" – di cui mi aveva detto Rossi quando ci eravamo incontrati la prima volta.

C'erano i tabulati del cellulare della vittima. All'inizio avevano acquisito quelli del mese precedente l'omicidio. Non avendo trovato nulla di utile avevano esteso l'acquisizione a quelli dei sei mesi precedenti. Identico risultato. Avevano sentito a verbale tutte le persone – perlopiù clienti – con cui Giuliana aveva parlato in quei mesi.

Dai tabulati telefonici risultano informazioni molto parziali sui contatti e sulle comunicazioni di una persona: solo le chiamate, la loro durata e la cella telefonica agganciata al momento della conversazione. Come aveva detto Zanardi, non risulta se il titolare del telefono ha inviato messaggi di qualsiasi tipo e non risulta se ha avuto conversazioni usando un'applicazione di messaggistica tipo WhatsApp. Per scoprire tutte queste cose è necessario disporre materialmente dell'apparecchio telefonico, ma quello di Giuliana non era stato ritrovato e non era mai stato utilizzato dopo la sua morte. L'assassino poteva averlo preso, insieme ai gioielli, per simulare una rapina e forse anche perché temeva che dall'esame del telefono potessero risultare informazioni utili per identificarlo.

Subito prima di andare a casa a fare la perquisizione e l'accertamento con il luminol avevano messo sotto controllo, con decreto di urgenza, i due telefoni del marito. Li avevano intercettati per un mese senza che emergesse nulla di interessante. Avevano acquisito i suoi tabulati ed esaminato i suoi apparecchi per recuperare conversazioni WhatsApp e simili. Anche da lì erano venute fuori solo brevi chiamate con la moglie, qualche messaggio, qualche sporadica conversazione con degli amici e tante comunicazioni di lavoro. Niente donne, niente contatti strani, niente di niente. Obbiettivamente Mario Rossi non conduceva una vita eccitante e forse, se Giuliana si annoiava, non aveva tutti i torti.

Avevano esaminato le mail e i profili social di entrambi e anche lì nulla di rilevante. Lei metteva su Facebook video tutorial per l'allenamento in casa, qualche foto sexy soft, qualche frase melensa da Baci Perugina o da libro trash di self-help sul coraggio, sulla vita, sulla felicità. Roba tipo: "Dai a ogni giornata la possibilità di essere la più bella della tua vita" o "Vivi ogni giorno come se fosse l'ultimo" o ancora "Abbi il coraggio di diventare la persona che potresti essere". Pensai alla frase più precisa che abbia mai letto sul concetto di felicità. Era di Prévert – o forse di Proust? – e faceva più o meno così: "Ho riconosciuto la felicità dal rumore che ha fatto andandosene". Mi chiesi se anche questa fosse melensa, solo più adatta alla mia indole. Non risposi alla domanda. Non lo faccio quasi mai.

Anche lui era su Facebook ma lo usava pochissimo.

Fra le diverse decine di verbali di deposizioni allegate all'informativa della squadra mobile c'erano anche quelli di alcune amiche della vittima. I poliziotti volevano accertare se Giuliana si fosse confidata con loro su una possibile relazione con un altro uomo, nelle settimane e nei mesi precedenti l'omicidio. Dopo qualche reticenza, due di loro avevano ammesso – raccontando confidenze ricevute – che in passato Giuliana aveva avuto diverse relazioni, tutte di breve durata. Da parecchio tempo però non raccontava di nuovi incontri.

Questo coincideva con quello che aveva detto il marito: nell'ultimo periodo lei sembrava diversa.

Due donne che abitavano nello stesso palazzo della coppia avevano riferito delle liti fra Rossi e la moglie, in una delle quali lui le aveva urlato che se continuava così l'avrebbe ammazzata, ma era avvenuto molto tempo prima. Leggendo questi verbali mi fermai per qualche minuto, cercando di immaginare Mario Rossi – un uomo all'apparenza tranquillo e controllato – in preda a una rabbia così furibonda da fargli formulare addirittura minacce di morte.

Poi c'era la testimonianza che mi aveva raccontato anche Rocco, quella della vicina che aveva sentito il forte rumore che poteva essere uno sparo. La signora aveva ottantasei anni e questo naturalmente non era un elemento favorevole. Subito dopo pensai che non dovevo lasciarmi influenzare dal fatto che Rossi, in sostanza, era un mio cliente. Non dovevo dare per scontato che lui fosse estraneo al fatto.

Comunque i verbali contenenti qualcosa di pur vagamente utile a una indagine erano quei tre. Negli altri c'era solo il racconto di una vita ordinaria, priva di scossoni o di chiaroscuri; un po' triste, grigia, segnata da banali velleità e illuminata in modo fosco dal tragico atto finale.

Dall'autopsia risultava che dopo la morte la vittima era stata a terra prona, mentre quando fu ritrovata era in posizione supina. Il proiettile estratto dal cranio era un calibro 38 *Wadcutter*. "Strano" pensai, "le pallottole

Wadcutter si usano soprattutto per esercitarsi sui bersagli e sulle sagome. Non sono blindate e hanno scarsa capacità di penetrazione."

Erano state repertate microfibre, forse un divano in alcantara, e i peli bianchi di cui mi aveva parlato Zanardi. Nulla dagli accertamenti tossicologici. Quando l'avevano uccisa erano passate parecchie ore dall'ultimo pasto. Le avevano sparato un solo colpo – o almeno un solo colpo era arrivato a segno – alle spalle, con traiettoria lievemente inclinata dal basso verso l'alto. Il colpo era stato esploso da qualche metro di distanza.

Si spara alle spalle in questo modo nelle esecuzioni: sei un killer, arrivi alle spalle della vittima, spari e te ne vai – se sei capace di farlo. Un'ipotesi che ha senso se si parla di delitti maturati nel mondo della criminalità. Ma in questo caso?

E l'ipotesi di un maniaco? Uno come quello che agiva in Liguria alla fine degli anni Novanta. Come si chiamava? Bilancia, sì. Donato Bilancia. Era ancora vivo e in carcere, verificai. Aveva ucciso diverse prostitute con modalità simili. Poteva essere che qualcuno agisse allo stesso modo? Uccidere e basta, senza mutilare, senza aggressione sessuale? Solo per il gusto di farlo, un colpo di pistola e via? Un serial killer? Ma il serial killer esiste se c'è una serie, cioè se ci sono altri episodi analoghi, prima o dopo.

Cominciai a cercare in rete casi di omicidi seriali eseguiti con un colpo di pistola alla testa, da dietro. C'era un tizio che aveva quel *modus operandi*, aveva agito attorno al 2000 ma era stato arrestato ed era morto in carcere nel 2004. Ce n'era un altro, un altoatesino che ammazzava italiani e farneticava di "Grande Germania", e che si era suicidato quando la polizia stava per arrestarlo.

Allora provai a cercare semplicemente casi di donne assassinate in quel modo. Ce n'erano diversi negli ultimi anni, ma per tutti le indagini avevano portato all'identificazione dell'assassino. Perlopiù mariti o fidanzati o compagni che a volte si erano suicidati subito dopo il delitto, altre volte erano stati identificati e arrestati. Notai che tutti gli episodi si erano verificati fra Emilia, Lombardia e Veneto, ma il dato non era di alcuna utilità visto che tutti i responsabili erano o morti o in galera.

Ce n'era uno solo che poteva avere attinenza. Un tizio aveva assassinato a Bologna una giovane prostituta rumena, appunto con un colpo alla nuca. Era accaduto qualche mese dopo l'omicidio di Giuliana Baldi. In via del tutto teorica si sarebbe potuto trattare dello stesso autore: modalità simili, distanza di tempo compatibile con l'elaborazione di uno schema ritualizzato e così via.

Passai parecchio tempo a leggere i resoconti dell'assassinio di Bologna, solo per convincermi che fra i due delitti non c'era alcuna relazione. *Non poteva* esserci alcuna relazione. L'assassino di Bologna era un cliente di lunga data della ragazza uccisa, che si prostituiva da molti anni. Come capita a personalità disturbate o solitarie (o più facilmente: disturbate *e* solitarie), col tempo si era innamorato della donna; a volte andava a trovarla e la pagava solo per stare con lei a parlare. A un certo punto si era dichiarato, chiedendo di instaurare una vera e propria relazione sentimentale. Al rifiuto della ragazza, lui aveva perso la testa. Prima aveva cominciato a perseguitarla – gomme dell'auto bucate, pedinamenti e minacce –, poi, vista l'inutilità di tutto, era andato da lei con una pistola e l'aveva assassinata. Con un colpo alla nuca, appunto.

Dal punto di vista materiale i due fatti si assomigliavano parecchio. Le corrispondenze lì finivano, però. Nel caso di Bologna si trattava di un rapporto fra prostituta e cliente che durava da sette anni e che si era trasformato prima in innamoramento non corrisposto e poi in ossessione persecutoria. L'omicida viveva a Bologna, dove aveva un'officina: sembrava del tutto inverosimile che fosse andato a commettere un omicidio casuale a Milano.

Dopo qualche ora di ricerche, di riflessioni, di caffè e di sigarette arrivai alla conclusione – più o meno corrispondente a quello che pensavo all'inizio – che l'ipotesi del serial killer aveva poca consistenza. Certo, poteva sempre trattarsi dell'opera prima di uno squilibrato che stava scompensando, che aveva commesso un omicidio casuale e che poi, prima di poterci riprovare, aveva avuto un incidente, una malattia, un arresto. In questa eventualità la soluzione del caso sarebbe stata virtualmente impossibile. Le indagini per omicidio (ma anche per molti altri reati) si basano soprattutto sui rapporti pregressi: amicizia e odio; amore e odio; comunanza di interessi e odio. In assenza di tutto questo è difficile che si arrivi a qualcosa senza un colpo di fortuna.

Gli occhi mi bruciavano e mi bruciava anche la gola per le troppe sigarette quando decisi che per quel giorno bastava così.

8

La mattina dopo mi svegliai presto per donare il sangue: ognuno viene a patti con i propri sensi di colpa come sa e come può. Uno dei miei è questo, per qualche ora mi fa sentire una persona un po' migliore di quella che sono.

Arrivai al Policlinico, presi il mio bigliettino, aspettai una ventina di minuti, consegnai quattrocentocinquanta millilitri di buon sangue – nessuno finora si è mai lamentato di anomale presenze alcoliche – ed ebbi in cambio un caffè, un succo di frutta e un plumcake allo yogurt. Uscita dalla banca del sangue andai a bermi un altro caffè, fumai una sigaretta e telefonai a Rossi.

«Ho bisogno di venire a casa sua, come le avevo detto.»

«Quando vuole.»

«Oggi pomeriggio può andare?»

«Sì, certo. Vado a prendere la bambina a scuola alle quattro e mezza. Fa il tempo pieno. Diciamo che dalle cinque in poi va bene. Se invece vuole venire prima...»

«Alle cinque va benissimo.»

Mi disse il nome di una via che non avevo mai sentito, nei paraggi della metro rossa, fermata Turro.

«Vicino allo Zelig?» chiesi.

«A pochi minuti dallo Zelig, sì.»

«Sua moglie si muoveva in auto o con i mezzi pubblici?»

Rimase qualche istante perplesso. Probabilmente pensò di chiedermi quale fosse il motivo di quella domanda. Se l'avesse fatto non avrei saputo rispondere.

«Quasi sempre con la metro.»

«Ci vediamo alle cinque.»

Di regola ci sarei andata in moto ma decisi di usare la metro. Perché era con la metro che si muoveva Giuliana, che mentalmente avevo cominciato a chiamare per nome. Comportarsi come faceva la vittima di un omicidio non ha un senso apparente. Ma a volte favorisce la concentrazione, a volte suggerisce qualche idea, qualcosa che ti aiuta a capire cosa è successo. Quando capita – a me solo due volte – hai l'impressione che una forza superiore stia collaborando al tuo lavoro. Ma non direi in giro una cosa del genere: la gente penserebbe – con ottime ragioni – che non ho tutti gli ingranaggi al loro posto.

Presi la linea gialla a Crocetta, a due passi da casa; cambiai a Duomo e salii sulla rossa, che mi portò diretta a Turro. Durante il viaggio non ebbi particolari vibrazioni o geniali intuizioni sul caso, anche se cercai di pensare a Giuliana che ogni giorno viaggiava su quella linea per tornare a casa dopo il lavoro.

Uscendo dalla stazione mi ritrovai in una zona di Milano che non avevo mai frequentato di giorno. Molti anni prima ci passavo per andare allo Zelig. Per qualche settimana anche piuttosto spesso perché uscivo con un ragazzo che aveva tentato la fortuna con la stand-up comedy. Non gli era andata bene – in realtà non faceva ridere – e di lui non sapevo più nulla.

La via e il palazzo in cui abitava Mario Rossi erano anonimi. Pervasi da una leggera aura di cupezza, mi dissi.

L'appartamento però era del tutto normale; un luogo banalmente sereno, non sembrava la casa di chi avesse vissuto una tragedia, pensai entrando.

Era tutto ordinato e pulito, anche se non in modo ossessivo. Niente oggetti fuori posto, niente polvere sui mobili o sui pochi libri che c'erano nel soggiorno, addirittura finestre pulite, come se qualcuno le avesse appena lavate. Quando entro in una casa l'ordine e la pulizia – più spesso: il disordine e la scarsa igiene – sono le prime cose cui faccio caso, per capire con chi ho a che fare. La condizione delle finestre è il test finale. Quando sono pulite, il che è davvero raro, significa che c'è qualcuno che ci tiene, per i più vari motivi. Lo so che dico una banalità sessista ma, senza sapere nulla di chi viveva in quella casa, avrei detto che c'era una donna a prendersene cura. Si percepiva uno sforzo di disciplina, un senso di identificazione che parevano dire: chi vive in questa casa ne ha cura. Ognuno trova il suo modo, la sua strategia per non andare in pezzi. La strategia del signor Rossi – o forse, parte della strategia – consisteva nel tenere tutto ordinato e pulito.

«Prende un caffè?» mi chiese.

«Sì, grazie.»

«Le spiace se andiamo in cucina? Così non la lascio da sola ad aspettarmi.»

«Dov'è la bambina?»

«In camera, dopo gliela faccio conoscere.»

La cucina era come il resto della casa. Moderna, di media qualità, pulita, niente stoviglie e piatti sporchi nel lavabo.

«Ho letto gli atti e ho bisogno di farle qualche domanda.»

«Certo» rispose caricando una moka.

«Una donna ha riferito di aver sentito un forte botto nei giorni precedenti alla scomparsa di sua moglie.»

«Lo so, ho letto. Non ho idea di cosa parli. Certamente in questa casa non ci sono stati botti. Non quando c'ero io, almeno. Non mi risulta che ci fossero lavori rumorosi in strada, in quei giorni. Comunque la Minetti, si chiama così, non ci sta tantissimo con la testa, già da qualche anno.»

«Mi racconti meglio delle minacce che lei avrebbe rivolto a sua moglie, quelle di cui hanno parlato le altre condomine.»

Fece un sospiro di frustrazione e iniziò a raccontare.

«Le ho detto che Giuliana sapeva essere esasperante, che era il suo modo di esercitare il potere sugli altri.

Mi dispiace parlare di lei in questi termini, ora, ma le cose stavano davvero così. Una volta fu particolarmente sprezzante. Non ricordo cosa disse, ma subito dopo aprì la porta e uscì per andare via. Ci sono poche cose che possono far saltare i nervi come un comportamento del genere. Vieni provocato e ti negano la possibilità di reagire. Aprii la porta, la seguii per le scale e le urlai: "Se continui a fare così giuro che ti ammazzo". Una frase idiota, ma avevo perso il controllo.»

Versò il caffè nelle tazzine; notai che non c'erano macchinette per l'espresso in quella cucina e mi domandai se potesse significare qualcosa. Rossi mi chiese se volessi zucchero, ma io lo prendevo amaro, e lo stesso lui.

«Lei che studi ha fatto?»

La domanda sembrò sorprenderlo. «Sono laureato in lettere, ma non ho mai usato la mia laurea. Mi sono trovato a lavorare già durante l'università nell'immobiliare e ci sono rimasto. Da ragazzo pensavo di fare il giornalista ma dopo la laurea mi resi conto che era una velleità, che la mia alternativa era fra continuare a vendere case o fare un concorso per andare a insegnare nelle scuole medie. Ho scelto di vendere case.» Esitò un istante, poi aggiunse: «Perché mi ha fatto questa domanda?».

«Non lo so. Faccio un sacco di domande di cui non so io stessa la ragione.» Non era del tutto vero. Erano l'accuratezza linguistica, la scelta precisa dei vocaboli di Rossi che mi avevano incuriosito, sin dalla prima volta. Non era indispensabile dirglielo.

In quel momento qualcuno suonò alla porta.

«Dev'essere la baby-sitter. C'è da accompagnare mia figlia a nuoto» disse andando ad aprire.

Qualche minuto dopo rientrò in cucina, seguito dalla bambina già vestita e pronta. Era bella, bruna, con sopracciglia lunghe e perfettamente disegnate. Così perfette da sembrare finte. Non aveva nulla di suo padre.

Lui fece le presentazioni. «Lei è Penelope e questa ragazza che adesso va a nuotare si chiama Sofia.»

Tesi la mano e la bimba, dopo un attimo di esitazione e uno sguardo al papà, mi diede la sua.

«Come nuoti, Sofia?»

«Bene, so fare stile, rana e dorso. Tu sei la fidanzata di papi?»

«No, tesoro. Sono un'amica di papà.»

«Ma sei un'attrice? Ti ho vista alla televisione.»

«No, forse hai visto qualcuna che mi assomiglia.»

«E tu che fai?»

«Io sono una prestigiatrice.»

«Una prestigia…»

«Diciamo una maga.»

«Vuol dire che sai fare le magie?»

«Vuol dire che, soprattutto, so far fare agli altri le magie. Scopro i poteri magici degli altri.»

Sofia mi guardò, metà incuriosita, metà sospettosa.

«Per esempio, secondo me tu hai dei poteri magici.»

«Che poteri?»

«Adesso vediamo insieme. Guarda le mie mani.»

La bambina osservò attentissima.

«C'è qualcosa nelle mie mani?»

«No» rispose.

«Bene. Adesso io le chiudo, tu le tocchi e fai comparire una caramella. Va bene?»

Così dicendo chiusi le mani e gliele presentai, una vicina all'altra, con il dorso verso l'alto. «Batti le mani sulle mie.»

Sofia obbedì. Aprii la mano destra e nel palmo c'era una caramella alla frutta.

«Prendila, è tua. L'hai fatta apparire tu» dissi.

«Ma posso farlo anche da sola?» chiese poi con gli occhi che adesso le ridevano di stupore e curiosità.

«Non subito. Ci vuole un po' di allenamento. Tu adesso vai a nuotare, vero?»

«Sì.»

«Anche per imparare a nuotare hai avuto bisogno della maestra, vero?»

«Il maestro.»

«Sì, certo. Ma il maestro ti insegna, vero? Lui c'è sempre quando vai in piscina.»

«Sì.»

«Ecco. Per la magia è la stessa cosa. Non si può fare subito da soli. Bisogna imparare a poco a poco. Ma adesso sai che tu sei una maga, anche se devi imparare a usare i tuoi poteri.»

«Ma tipo Harry Potter?»

«Tipo, sì. Non proprio la stessa cosa, ma tipo. Hai già letto *Harry Potter*?»

«Ho visto i film. Papi mi ha comprato un libro ma devo imparare a leggere meglio.»

«Brava.»

«E quando lo facciamo di nuovo? Puoi essere tu la maestra di magia?»

«Vedremo, tesoro. Per il momento però mi sembra che qui ci sia…» Così dicendo avvicinai la mano a un orecchio della bambina e la ritirai con un'altra caramella. «Ecco, vedi, vengono proprio da te. Ce n'era una qui vicino all'orecchio.»

Le consegnai la caramella e rimanemmo per qualche secondo una di fronte all'altra.

«Lo sai che io non ho più la mamma?»

«Sì, tesoro.»

«Lei è in cielo.»

«Lo so.»

«Ma se divento una maga molto, molto brava, posso andare anche in cielo a trovare la mamma?»

Quasi in un sussurro, risposi: «Questa è una magia molto difficile. Pochissimi sono capaci di farla. Bisogna esercitarsi per tanti anni».

«Mi eserciterò» disse la piccola con un tono risoluto che mi spezzò il cuore.

«Molto bene. Adesso però vai a esercitarti in piscina.»

La baby-sitter, che nel frattempo era entrata anche lei in cucina, prese la bambina per mano. La piccola però non si mosse: non mi staccava gli occhi di dosso.

«Vuoi darmi un bacetto prima di andare?»

Fece sì col capo. Mi chinai e lei mi diede un bel bacio sulla guancia, con lo schiocco. «Ciao, maga.»

«Ciao, collega.»

«Ci sa fare con i bambini» disse Mario Rossi quando la baby-sitter e Sofia furono andate via.

«È facile saperci fare con i bambini se non ne hai la responsabilità. Quasi sempre quelli che piacciono molto ai bambini sono gli stessi che non sono capaci di occuparsene davvero, quotidianamente.»

«Lei ha figli?»

Feci un verso fra bocca e naso. Voleva essere una breve risata ma venne fuori qualcos'altro, quasi un conato. «No, no. Però ho una certa esperienza di irresponsabilità.»

Rossi per la prima volta abbozzò un sorriso. «È piuttosto dura con sé stessa.»

«Sono piuttosto dura con tutti» e poi, dopo qualche secondo, «e dico anche delle frasi piuttosto banali. A volte penso che le mie battute le scriva qualche giallista mediocre. Posso dare un'occhiata in casa, alle cose di Giuliana, alla cassaforte se l'avete, a qualsiasi cosa le venga in mente?»

Così facemmo un giro dell'appartamento. Tre vani, cucina, bagno, in ottimo stato, avrebbe scritto Rossi nell'annuncio di proposte immobiliari se avesse dovuto venderlo.

Non avevo particolari aspettative su quello che avrei trovato. Nel soggiorno c'era una scrivania e uno dei cassetti conteneva le cose della moglie. Qualche documento scaduto, un paio di vecchie agende, dei caricabatterie, un po' di foto. La bambina da piccola, sempre da sola o con la madre; foto di Giuliana in palestra che faceva la spaccata o qualche esercizio acrobatico; nes-

suna foto di lui. La mia attenzione fu attirata da alcune vecchie immagini sbiadite. C'erano quattro ragazze in costume da bagno, bandane e parei. Sullo sfondo
il mare e un'isola in lontananza.

«Chi sono?» domandai.

«Giuliana e le sue amiche storiche, dai tempi del liceo. Credo che la foto sia stata fatta a Formentera. Questa è lei» disse Rossi indicando con il dito una ragazza
bruna, non bella, ma con un'espressione sfrontata, al-
legramente sensuale.

«Vi conoscevate già quando è stata scattata la foto?»

«No, no. Ci siamo conosciuti molti anni dopo. La foto
dev'essere della fine degli anni Novanta.»

«Mi dica delle amiche di sua moglie. Quelle della
foto. Si frequentavano ancora?»

«Qualche volta usciva con Aurora, che è quella con
la bandana. Penso che a volte si sentisse con Valentina,
che è quella bionda, ma non credo si vedessero. Cioè,
non lo so.»

«E la terza?»

«Non l'ho mai conosciuta e Giuliana non ne ha mai
parlato. Mi avrà detto il nome, ma non me lo ricordo
nemmeno. Immagino si fossero perse di vista.»

«Cosa fanno Aurora e Valentina?»

«Valentina mi pare nulla. Sicuramente ha sposato un
uomo ricco. Aurora invece ha una boutique.»

«Ha detto che uscivano a volte. Da sole, con altre
persone?»

«Uscivano loro due, forse a volte con qualche altra

amica. Diciamo che erano uscite di sole donne.» Fece una lunga pausa. Probabilmente stavamo pensando la stessa cosa. «Almeno così mi diceva» concluse abbassando il tono.

«Ha un'idea di quando può essere stata l'ultima volta che si sono viste, prima del fatto?»

«Non saprei dire con precisione. Mesi prima. Non capitava di frequente.»

«Ho letto tutto piuttosto in fretta ma non mi sembra che la polizia abbia sentito a verbale queste due amiche. Ne hanno interrogate altre, ma non queste.»

«No, è così. Probabilmente non c'erano telefonate fra loro nei sei mesi precedenti il fatto, perché le persone con cui Giuliana ha parlato in quel periodo, che risultavano dai tabulati, sono state tutte interrogate.»

«Ha il numero di telefono di Aurora e Valentina?»

«No, però so dirle come si chiama la boutique di Aurora.»

Annotai il nome della boutique. Rossi non conosceva l'indirizzo ma mi disse che era dalle parti del Mudec, zona modaiola e di nuova tendenza.

Dopo le foto esaminai l'armadietto dei medicinali senza trovare nulla di interessante; poi passammo all'armadio dove c'erano ancora tutti i vestiti di Giuliana.

Avevo portato con me una lente di ingrandimento, il che forse poteva farmi apparire un po' ridicola. L'idea era di controllare se per caso su qualche vestito ci fossero peli bianchi. Non c'era una ragione precisa o una prospettiva consapevole dietro questa idea, e comun-

que non trovai peli. Sarebbero state necessarie attrez-
zature che non avevo.

Guardai nei cassetti dove c'era anche la bigiotteria e
per ultima cosa aprimmo la cassaforte, dove erano custoditi i pochi gioielli di Giuliana. Erano oggetti piuttosto ordinari, a parte un paio di orecchini di oro an-
tico e un anello con un brillante di almeno un carato.

«L'anello è stato il mio regalo di fidanzamento» disse Rossi, senza che io gli facessi domande.

«Sa quali gioielli avesse addosso sua moglie quella sera?»

«No, ma nulla di prezioso, credo.»

Prima di andare via entrai anche nella camera della bambina, e chiesi qualche foto recente di Giuliana.
Non ne aveva di stampate – chi ha ormai le foto stampate? – e me ne inviò due con una mail, dal computer.
Non aveva foto della moglie sul telefono, ma la cosa
poteva significare tutto e niente.

I due ritratti che mi inviò raffiguravano una donna
molto somigliante alla ragazza della foto con le amiche:
la stessa espressione energica e un po' sfrontata. C'era
però anche una sfumatura diversa, come un lampo di
smarrimento negli occhi. Mi domandai se nel vedere –
o nell'immaginare – quel lampo non fossi influenzata
dalla conoscenza del destino tragico che attendeva quella donna. Non seppi darmi una risposta soddisfacente.

«Perché le servono le foto?»

«Non lo so. Probabilmente non mi serviranno, ma
ove mai ci fosse l'occasione...»

Eravamo ormai sulla porta di casa.

«Posso chiederle una sciocchezza?»

«Sì?»

«Come mai aveva con sé le caramelle, quelle che ha fatto comparire per Sofia?»

«Mi piacciono le caramelle alla frutta, me ne porto sempre qualcuna dietro.»

Ma era una bugia: le avevo comprate apposta, sapendo che probabilmente avrei incontrato la bambina. Il mio stupido bisogno di approvazione prende le forme più diverse e imprevedibili.

9

Lasciai passare un paio di giorni. Pensavo a quello che sapevo di Giuliana – pochissimo – e mi domandavo cosa potessi fare. Controllai di nuovo gli atti nella chiavetta che mi aveva dato Rossi. Aurora e Valentina non erano state sentite e non erano fra i contatti registrati nei tabulati.

Era strano, ma non voleva dire che non si fossero sentite o non si fossero scambiate messaggi. Più volte mi soffermai a guardare le due foto di Giuliana, quasi a cercare una risposta, o anche solo un'ipotesi, in quell'espressione vagamente sfrontata, forse anche un po' assente o comunque distante. Non trovai né ipotesi né tantomeno risposte.

Alla fine decisi che l'unica cosa da fare, l'unica che avesse un minimo di senso, era provare a parlare con le due donne. Rossi mi aveva dato il nome della boutique di Aurora: Cynique. Trovai l'indirizzo su Google – era in via Stendhal – e ci andai.

Il posto – sicuramente frutto del lavoro costoso di qualche architetto – era una specie di epitome di un certo stile. Gli infissi erano di acciaio corten, il pavimento di parquet molto scuro, alle pareti una resina industriale indaco pallido. Vicino all'ingresso c'era una grande fioriera con amaryllis rossi, e pensai di sfuggita che quei fiori contenevano un alcaloide piuttosto velenoso. Al centro dell'ambiente lo spazio era occupato da un bancone di legno con una lunga teca contenente gioielli alquanto eccentrici. I vestiti erano disposti sui due lati lunghi, a terra le scarpe, borse appese alle pareti fra gli abiti, e in un angolo anche un piccolo settore di libri illustrati.

Mi venne incontro sorridendo una signora intonata al locale. Jeans, maglioncino di cachemire con fili dorati, stivaletti verde petrolio alla caviglia. Sul suo viso – in particolare su zigomi e labbra – aveva sicuramente lavorato, senza eccessi, un bravo chirurgo estetico. Non portava gioielli del tipo di quelli esposti nella bacheca. Solo un bellissimo anello d'oro con una pietra verde, non piccola. Mi chiesi se fosse un vero smeraldo, perché in quel caso non era un oggetto con cui sarei andata in metropolitana a tarda sera.

«Lei è la signora Aurora?»

«Sì?» Una nota di lieve allarme nella voce.

Non mi sembrava somigliasse molto alla ragazza delle fotografie anche se io non sono mai stata brava a riconoscere le persone dalle foto. Quelli che sanno farlo mi lasciano sempre stupita, a volte stupefatta. È una abilità che non solo non possiedo ma che proprio non riesco a comprendere. C'era un maresciallo dei carabinieri – l'avevo incrociato poco prima che andasse in pensione – famoso per saper identificare chiunque da una vecchia foto formato tessera. Da giovane aveva lavorato nei reparti speciali antiterrorismo del generale Dalla Chiesa e per questa sua speciale abilità lo mandavano a fare gli appostamenti e i pedinamenti più delicati. C'erano terroristi latitanti, introvabili, di cui non esistevano foto recenti. Lui guardava uno scatto di tanti anni prima, magari finito sulla carta di identità o sulla patente, e quello gli bastava. Incontrando la persona riusciva sempre a sovrapporre quell'immagine sbiadita al viso reale, più vecchio di anni, diverso. Una dote quasi soprannaturale.

«Buongiorno, mi chiamo Penelope Spada.» Ci stringemmo la mano dopo una lievissima esitazione. «So che lei era amica di Giuliana Baldi.»

«Oddio, Giuliana... sì, eravamo amiche.» Si portò la mano alla bocca. Secondo i manuali popolari sull'interpretazione del linguaggio del corpo, è un gesto che dovrebbe significare menzogna o comunque poca inclinazione a dire la verità. In realtà spesso non vuol dire niente, come molti presunti messaggi del linguaggio del corpo. A volte però, effettivamente, quello può essere il significato del gesto.

«Il marito di Giuliana mi ha assunto per indagare sulla sua morte. Il fascicolo giudiziario è stato archiviato ma lui mi ha chiesto di fare qualche ulteriore accertamento.»

Aurora adesso sembrava incuriosita. «Lei è una specie di investigatore privato?»

«Una specie» risposi sperando che non mi chiedesse tesserini o simili. Per fortuna non lo fece. «Può dedicarmi qualche minuto? Se entrano delle clienti ci interrompiamo e la lascio lavorare. Comunque, non ci vorrà molto.»

«Non so come potrei aiutarla.»

Pareva a disagio, ma anche questo non significava nulla. Le persone sono spesso a disagio quando vengono coinvolte in una indagine, quale che sia. Indipendentemente dal fatto che abbiano qualcosa da nascondere.

«Ricorda quando è stata l'ultima volta che ha visto Giuliana?»

Aurora ci pensò un attimo. «Qualche settimana prima della sua morte, ma non saprei dire con precisione.»

«Dove vi siete viste? Siete uscite insieme?»

«No, ci siamo viste qui da me. Non uscivamo insieme da tanto tempo.»

«Era venuta a comprare qualcosa? O era solo passata a salutarla?»

«Solo a salutarmi. Ogni tanto lo faceva.»

«Da quanto tempo è aperta la sua boutique?» ripresi.

«Ormai sono quasi cinque anni.»

«E Giuliana è sempre venuta a trovarla?»

In quel momento entrò una ragazza. Aurora le andò incontro chiedendole come poteva aiutarla e la ragazza rispose che voleva dare uno sguardo in giro.

Ci spostammo in fondo al locale, dove c'era l'angolo con i libri illustrati.

«Cosa mi aveva chiesto?»

«Giuliana è venuta a trovarla sin dal momento dell'apertura?»

«No, no. Avevamo smesso di frequentarci da tempo. Un giorno me la ritrovai davanti alla vetrina. Non ci vedevamo da anni. Così uscii, ci salutammo e la invitai a entrare. Era capitata qui per caso, non sapeva che il negozio fosse mio.»

«Quando è stato?»

«Circa tre anni fa.»

«La morte risale a poco più di un anno fa. Tenendo conto di questo, riesce a essere più precisa?»

«Quello che le ho detto. Un paio di anni prima della sua scomparsa.»

Scomparsa. Un'espressione che mi ha sempre colpito, come tutti i sinonimi e le parafrasi per indicare la morte di una persona. Tizio è scomparso; Caia è venuta meno; Sempronia è passata a miglior vita. La dipartita, la scomparsa, il trapasso. Tutto fuorché la sconveniente verità del concetto e della sua parola esatta: morte.

Le risposte di Aurora non collimavano perfettamente con quello che mi aveva detto Rossi. Valeva la pena di approfondire un poco.

«E quella volta avete parlato, vi siete raccontate qualcosa?»

«Non molto» rispose. «Il suo matrimonio non andava bene ma non aveva voglia di parlarne. È stata una conversazione un po' superficiale: eravamo contente di esserci incontrate, dovevamo rivederci, queste cose.

Mi salutò dopo una decina di minuti, dicendomi che presto sarebbe ripassata a trovarmi.»

«Lei sa dove abitava Giuliana?»

«Me lo ha detto, mi sembra vicino a viale Monza.»

«Come mai si trovava a passare da queste parti? Gliel'ha detto?»

«No.»

«Le è parso che avesse un impegno, un orario da rispettare?»

«Sì, era come se dovesse andare da qualche parte. Non solo quella prima volta. Passava e si fermava un po' a chiacchierare, poi controllava l'orologio e diceva che doveva scappare.»

«Ma non le ha mai detto se aveva qualcuno da incontrare?»

Scosse la testa. «Sulle prime ho pensato che fossero appuntamenti di lavoro. Poi ci ho riflettuto...»

La sua espressione era quella di una che si chiede se abbia senso quello che sta dicendo, e se sia opportuno dirlo.

«Ci ha riflettuto e...?»

«Non so. Magari è una sciocchezza, ma era il modo in cui era vestita.»

«Com'era vestita?»

«Bene. Era truccata, aveva il profumo. Che di per sé non significa niente, certo. Anch'io quando vado in palestra cerco di non andarci come una pazza, voglio dire... lei capisce, ovviamente.»

Mai messo il profumo per andare ad allenarmi. «Certo, capisco. Un po' di cura per sé stesse anche se una non deve andare a una festa. Ma Giuliana forse era un po' troppo curata?»

Annuì. Prima che potessi proseguire, la ragazza chiese di poter provare un capo. Aurora le indicò il camerino. Io dissi che la lasciavo lavorare e andavo a fumare una sigaretta. Aspettai fuori fino a quando la ragazza non fu uscita con una busta dall'aria solo apparentemente casuale con su scritto CYNIQUE.

«Ha delle cose molto belle qui» dissi rientrando.

«Grazie. Lavoro con giovani stiliste e stilisti. Loro disegnano e io faccio realizzare le loro creazioni. Ogni pezzo è numerato, mi piace l'idea che le clienti comprino qualcosa di raro. Io stessa disegno i costumi da bagno. Lavoravo in banca e lo odiavo, quel lavoro. Avevo studiato economia e commercio per i miei genitori, avrei voluto fare altro. A un certo punto, prima che fosse troppo tardi, ho trovato il coraggio di cambiare vita.»

«Bello. Trovare il coraggio di cambiare vita, scegliere.»

«Vuol provare qualcosa?»

Provare qualcosa. Da quanto tempo non mi compravo un capo di abbigliamento per il puro piacer di farlo? Non riuscii a ricordarmelo e la cosa mi diede un lieve capogiro.

«Grazie. Ormai mi vesto sempre allo stesso modo. Non dà molta soddisfazione ma la mattina non ho più il problema di decidere.» Ridurre il numero delle scelte, anche quelle insignificanti, è un grande sollievo, aiuta a contrastare l'angoscia. Ma questo non lo dissi.

«Peccato. Con il suo fisico potrebbe permettersi tutto.»

«Mi stava dicendo che Giuliana era molto curata quando passava da lei.»

«Sì. Aveva anche dei gioielli...»

«Dei gioielli?»

«Impegnativi.»

«Del tipo?»

«Orecchini molto belli, per esempio. Ma soprattutto un anello. Me lo ricordo perché era davvero particolarissimo. Era d'oro, a forma di serpente, disegnato benissimo. Gli occhi erano rubini... o almeno, sembravano rubini.»

«Sembravano?»

«Diciamo che se era d'oro, non argento bagnato nell'oro, e se quelle due pietre erano veri rubini, be', era prezioso. Non poteva costare meno di cinquemila euro, probabilmente di più.»

«E lei non le ha chiesto nulla di questo anello?»

«Sì, le ho detto che era bellissimo. Lei mi ha risposto che si era fatta un regalo. Ha detto di averlo comprato da una rappresentante di gioielli sua amica che le aveva fatto un prezzo di costo.»

«E lei ci ha creduto?»

«No. Ma non ho insistito. Era chiaro che non voleva parlarne e la storia della rappresentante di gioielli mi è parsa... una storia, appunto. Non saprei dire esattamente perché.»

«Quindi ha pensato che glielo avesse regalato un uomo?»

«Be', sì» ammise. «Anche per via del significato.»
«Dell'anello?»

«Sì, il serpente vuol dire diverse cose, quando viene usato per un anello esprime il desiderio e la passione sessuale.»

Feci un lungo respiro e mi diedi il tempo di elaborare l'informazione. «Con che frequenza veniva a trovarla?»

«Diciamo che dalla prima volta sarà passata da qui... non so, cinque o sei volte in tutto.»

«Di cosa parlavate?»

«Un po' di tutto... ma sempre in modo superficiale. La confidenza che avevamo da ragazze non si era ricreata. Mi diceva che il lavoro andava bene. Aveva tanti clienti, gente che poteva spendere, e lei aveva elaborato anche un suo metodo di allenamento, una combinazione di yoga, pilates e pesi. Il lavoro andava bene ma la famiglia no, anche se non è mai entrata nei dettagli. Però una cosa l'ha detta: se non ci fosse stata la bambina sarebbe già andata via di casa, si sarebbe rifatta una vita.»

«Le ha parlato di altre relazioni?»

«Non in modo esplicito. Però si intuiva che c'era stato qualcosa. Io non le ho mai chiesto niente in modo esplicito. Come le ho detto, erano incontri sporadici e tutti piuttosto brevi, non c'è mai stato il tempo di creare l'intimità necessaria a certe confidenze.»

«Del marito ha mai parlato?»

«Poco, ma la mia sensazione era che fra i due fosse davvero tutto finito da tempo. Rimanevano insieme, cioè lei rimaneva con lui per via della bambina. Credo che l'idea di mettere in moto una separazione le sembrasse una cosa troppo difficile. Cioè, di questo ha proprio parlato, qualche volta.»

«Cosa diceva?»

«Esattamente questo: che andarsene di casa, divorziare, le sembrava complicatissimo, una cosa che superava le sue forze. Avrebbe voluto che fosse lui a prendere l'iniziativa.»

«Cos'altro diceva del marito?» insistetti. «Ce l'aveva con lui, era dispiaciuta, era indifferente?»

«Ne parlava poco, più che altro. Non direi che ce l'avesse con lui, piuttosto sì, era indifferente. Forse infastidita, ma in sostanza indifferente. Non le ho sentito rimproverare qualcosa di particolare al marito. Sembrava considerarlo una persona... come dire?»

«Mediocre?»

«Ecco, sì, mediocre. Non ha mai usato questa parola ma il senso era questo.»

«Ricorda se Giuliana passava a trovarla di mattina o di pomeriggio? O sia di mattina, sia di pomeriggio?»

«Mi faccia pensare... non sono sicura, ma forse era sempre pomeriggio. Mi sembra di sì, mi sembra che sia sempre passata di pomeriggio.»

«E in questo periodo non vi siete mai viste fuori? Non siete mai andate a fare, che so, un aperitivo, una pizza?»

«No. A volte dicevamo che avremmo dovuto farlo, ma era una di quelle cose che si dicono così per dire. Non è mai successo.»

Rossi mi aveva riferito una cosa diversa. Ma era perfettamente possibile che Giuliana uscisse con altri – per esempio un ipotetico amante... di cui peraltro non c'era traccia, fino a quel momento – e usasse l'amica ritrovata come scusa e pretesto.

«Un'ultima cosa. Il marito mi ha parlato di un'altra vostra amica, Valentina. Sa se Giuliana e lei si frequentassero o comunque avessero ancora rapporti?»

«No. Ne abbiamo parlato, di Valentina. Ci siamo dette che tutte e due l'avevamo persa di vista.»

Non mi pareva ci fossero altre domande da farle. Qualcuna mi sarebbe venuta in mente una volta andata via, come di regola, ma per il momento era tutto.

«Grazie, mi è stata di molto aiuto. Se non le dispiace le lascio il mio numero di telefono, caso mai ricordasse qualcos'altro. Se succede mi chiami, per piacere, anche se le sembra un dettaglio irrilevante.»

«Va bene» rispose mentre io scrivevo il mio nome e il mio numero su un foglietto del taccuino.

«Complimenti per la sua boutique, cose davvero originali.»

«Magari un altro giorno passa e prova qualcosa. È un peccato che si vesta tutti i giorni allo stesso modo, con quel fisico. Uno spreco.»

"Sono specializzata in sprechi, amica mia."

«Magari un giorno passo e provo qualcosa, sì.»

10

Andai a sedermi a un bistrot nelle vicinanze. C'erano i tavolini all'aperto con i funghi caloriferi e io volevo mangiare qualcosa, bere qualcosa e fare il punto.

Ordinai un'insalata con avocado e salmone e un calice di Sauvignon. Poco dopo ne chiesi un secondo. Quando arrivò il caffè tirai fuori le sigarette e il taccuino e cercai di mettere in fila quello che sapevo di più, dopo quella mattina.

In primo luogo: Giuliana frequentava quella zona, lontanissima da casa sua, e non ci andava a fare shopping o per fare visita alla sua vecchia amica Aurora. Inoltre era improbabile che ci andasse per lavoro, cioè a fare la personal trainer, considerato come era vestita e curata stando al racconto di Aurora. Una possibilità era che ci andasse perché aveva una relazione. L'uomo con cui si incontrava abitava da quelle parti; o magari aveva un pied-à-terre. L'albergo era escluso perché la polizia aveva fatto un controllo al CED del Ministero dell'Interno e non erano risultate registrazioni in alberghi o pensioni, a parte due brevi vacanze con il marito e la figlia. Certo, era possibile che fosse andata in qualche albergo per un pomeriggio, con il suo ipotetico amante, e che un portiere amico avesse omesso la registrazione.

In secondo luogo: Giuliana mentiva al marito sulle frequentazioni con Aurora. Diceva di uscire con una vecchia amica ritrovata e invece vedeva qualcun altro. Probabilmente era la prima scusa cui aveva pensato quando si era trattato di dire una bugia al marito. Magari l'aveva rivista, in quell'incontro casuale al negozio, proprio qualche giorno prima che sorgesse la necessità di inventarsi una storia per uscire in pace la sera. Una scusa abbastanza tranquilla: Rossi non conosceva personalmente Aurora e non c'era il rischio che si incontrassero. Dunque non c'era nemmeno bisogno di informarla, di chiederle la copertura. Aurora era una prova d'alibi a sua insaputa. Anche riguardo a questo punto la spiegazione più plausibile era che Giuliana avesse una storia con un altro uomo.

In terzo luogo: Giuliana aveva almeno un gioiello prezioso che di sicuro non le aveva regalato il marito. Questo gioiello non era nella cassaforte di casa: se ci fosse stato me ne sarei accorta. L'oggetto di cui aveva parlato Aurora non era stato ritrovato e probabilmente era fra quelli presi dall'omicida prima di abbandonare il corpo.

Il dato aveva due possibili spiegazioni.

Una: che quell'anello prezioso fosse stato un regalo del misterioso amante e che lui lo avesse preso insieme a tutto il resto non solo per simulare la rapina, ma anche per eliminare una prova materiale che poteva ricondurre a lui.

L'altra: che potesse davvero trattarsi di una rapina finita male, considerato che l'anello era visibilmente un oggetto di grande valore. In questo caso però non si spiegava perché l'assassino avesse trasportato il corpo fino a quella periferia desolata.

Accesi un'altra sigaretta e mi chiesi se telefonare a Rossi per chiedergli di quell'anello. Con ogni probabilità non ne sapeva niente, non lo aveva nemmeno mai visto e mi avrebbe fatto un sacco di domande. Alla fine decisi comunque di chiamarlo. Rispose dopo parecchi squilli, quando stavo per riattaccare.

«Mi scusi, sono con dei clienti a visitare un appartamento.»

«La chiamo dopo se vuole.»

«No, no. Mi sono allontanato, dica pure.»

«Non so se sia una cosa importante, ma volevo chiederle se sua moglie avesse un anello a forma di serpente.»

Ci fu una lunga pausa di silenzio dall'altra parte. Non capivo se si stesse concentrando per provare a ricordare o se si stesse interrogando sul perché della domanda. Forse tutte e due le cose.

«Non ricordo di averle mai visto un anello del genere. Perché me lo chiede?»

Mi ero preparata a dirgli parte della verità. «Ho parlato con Aurora. Mi ha detto che una volta aveva notato un anello fatto così, che l'aveva incuriosita. Una tipica cosa che nota una donna e un uomo molto meno.»

«Era un anello prezioso?» chiese subito Rossi, che evidentemente non era stupido.

«No, Aurora ha detto che le era parso un oggetto di buona bigiotteria» mentii, sperando che non insistesse.

«Cos'altro le ha detto Aurora?»

«Nulla di utile, nessuna confidenza di Giuliana da cui ipotizzare una pista per altre indagini. Voglio fare ancora qualche verifica e nei prossimi giorni spero di poterle dire la mia opinione sulla possibilità o meno di andare avanti. A presto.»

11

Dalla sera il tempo si guastò. I telegiornali lo avevano detto: in arrivo perturbazione polare, previste temperature al di sotto delle medie stagionali, venti forti, temporali e nevicate anche a bassa quota.

La mattina dopo al risveglio la città era avviluppata da una pioggia continua e quasi concreta. Cadde per due giorni grigia, gelida e ininterrotta.

Non avendo nulla di specifico da fare fuori e nessuno da incontrare rimasi in casa – a parte rapide sortite per i generi di prima necessità: cibo, sigarette e alcolici – a vedere serie tv, a bere e a fumare troppo, a dormire male, a ignorare messaggi di alcuni imbecilli con cui avevo passato delle serate prive di senso nelle settimane precedenti, a chiedermi cosa avrei potuto fare per capire qualcosa di più sulla morte di Giuliana. Senza trovare nessuna risposta accettabile.

Niente dura per sempre, nemmeno la pioggia fredda di novembre, cantavano i Guns N' Roses. E in effetti il terzo giorno, anche se i colori del mio mondo rimasero tutti nelle diverse gradazioni del grigio, senza una vera soluzione di continuità fra il cielo e i marciapiedi, la pioggia smise di cadere e andai ad allenarmi.

Stavo finendo l'ultima serie di trazioni alla sbarra senza nemmeno un gruppetto di giovanotti nerboruti a godersi lo spettacolo quando il telefono squillò: era Barbagallo, e leggere il suo nome sul display mi provocò un guizzo dei nervi sulla nuca.

«Ciao, Rocco.»

«Dottoressa, le devo parlare.»

«Dimmi.»

«Forse è meglio se ci vediamo.»

«Sono a due passi dal tuo ufficio. Mi stavo allenando ai giardini.»

«Quelli di Porta Venezia?»

«Sì.»

«Ci vediamo all'ingresso di via Manin?»

«Io ci arrivo in cinque minuti.»

«Anch'io.»

Dieci minuti dopo eravamo seduti su una panchina, davanti alla fontana. Tutto intorno c'era un'atmosfera di desolazione dell'anima, di insopportabile precarietà.

«Allora?»

«Non lo so, dottoressa, magari è solo una cazzata…»

«Tu dimmela e poi vediamo se è una cazzata o no.»

«Non ho detto niente ai miei superiori.»

«Dai, Rocco, smettila di girarci attorno. Se c'è qualcosa da dire ai tuoi superiori glielo dirai al momento opportuno. Adesso però dillo a me.»

Tirò su col naso, prese le sigarette, me ne offrì una –

la accettai anche se dopo l'allenamento non è proprio una buona idea – e ne accese un'altra per sé.

«Ho messo in giro la voce, come mi aveva chiesto lei. Ammetto che non ci credevo molto, ma l'ho fatto lo stesso. Ho parlato con i miei confidenti, ho detto che pensavamo che quell'omicidio potesse essere maturato in ambienti criminali e volevamo sapere qualsiasi voce fosse circolata. Come immaginavo, tutti mi hanno detto di non saperne niente, che nemmeno si ricordavano l'episodio. Qualcuno ha detto una cosa che penso anch'io: se ammazzi una donna in quel modo o sei un killer o sei un maniaco.»

Fece una pausa, senza volerlo si guardò attorno. «Poi stamattina mi ha chiamato un tizio, uno che fa il ricettatore e anche lo strozzino. Qualche volta mi ha passato buone informazioni. Non ci avevo parlato direttamente ma qualcuno gli ha detto che avevo messo in giro la voce. Mi ha chiesto di vederci e un'ora fa ci siamo incontrati.»

«E cosa ti ha detto?»

«Qualche mese fa un ladro di appartamenti che gli vende la refurtiva gli ha raccontato una storia strana. Tempo prima era entrato in una casa per rubare e in una stanza aveva trovato una donna morta. Insomma, una che sembrava morta.»

Sentii il battito accelerare, più o meno come ai tempi delle gare, subito prima di un salto. O dopo, quando un'indagine per omicidio sembrava prendere la direzione giusta, all'improvviso. Appunto.

«Che vuol dire: "sembrava morta"?»

«È entrato in una stanza, ha visto questa donna immobile, faccia a terra. Se l'è fatta sotto ed è scappato via.»

«Non ha visto altro?»

«Non lo so. Il mio confidente mi ha detto solo questo.»

«Perché avrebbe raccontato a lui questa storia?»

«Si sono visti quando lui è andato a portargli della merce rubata. Non subito dopo il fatto, ma evidentemente era una cosa che gli era rimasta impressa.»

«Come faceva a dire che era morta?»

«Non lo so, dottoressa. Le ho detto tutto quello che mi ha raccontato lui.»

«E perché il tuo confidente non ha raccontato subito questa storia?»

«Gliel'ho chiesto anch'io. Lui ha detto che gli era sembrata una cazzata, che questo tizio – il ladro, voglio dire – è uno che beve, che si fa. Inaffidabile. Non ha dato importanza alla cosa. Fra i ladri girano sempre storie strane su quello che trovano negli appartamenti. Sono come le storie dei pescatori, esagerano, voglio dire. Ci sono anche le storie di fantasmi. Ne ho sentite anch'io...»

«Va bene, ho capito. Lasciamo stare i fantasmi. Non ha dato peso alla storia e poi, quando ha saputo che cercavi notizie su un omicidio irrisolto, gli è tornata in mente e te l'ha detta. Ha senso. Il ladro aveva preso qualcosa dall'appartamento?»

«No. Ha detto di essere scappato via subito, appena si è reso conto che quella era morta.»

«Era solo o con un complice?»

«Non lo so. Il mio informatore non ha parlato di altre persone.»

«Ha detto l'indirizzo o almeno la zona?»

«No.»

«Ti ha detto chi è il ladro?»

Scosse il capo e si accese un'altra sigaretta con il mozzicone della precedente. Io rimasi per qualche secondo a riflettere, anche se in realtà da riflettere c'era molto poco.

«Dobbiamo parlare con il tuo confidente. Ci deve dire chi è la sua fonte, il ladro, insomma.»

«Non credo che lo farà, dottoressa.»

«Andiamo a trovarlo insieme e vedrai che ce lo dirà.»

«Dottoressa, lo sa come funziona con i confidenti. Tutto si basa sul fatto che sanno che non li tireremo in ballo. Se io la porto...»

«Non lo tiriamo in nessun ballo. Ci dice chi è il ladro e finisce lì, amici come prima.» Mi accorsi che il mio tono stava diventando molto aggressivo, ma non potevo farci niente.

«Non è questo, dottoressa. Come faccio? È un mio confidente. Io lo so che sono in debito con lei, ma...»

«Lascia stare i debiti. Nessuno ha parlato di debiti e pagamenti. Non mi offendere e non mi fare incazzare. Quello che è successo allora io me lo sono dimenticato, hai capito? Non mi devi nulla. Se non vuoi lasciarmi parlare con il tuo confidente va bene lo stesso. Troverò un altro modo e noi chiudiamo qui la conversazione.»

Rimanemmo seduti sulla panchina, in silenzio, per diversi minuti. Mano di Pietra prese un'altra sigaretta ma non l'accese. Ci giocherellò un poco, guardando la ghiaia ai nostri piedi, si alzò, disse che doveva fare una telefonata, si allontanò di qualche decina di metri. Gli ci vollero un paio di minuti, poi ritornò alla panchina dove ero rimasta ad aspettarlo. Faceva freddo.

«Va bene, se vuole andiamo adesso.»

Prese un'auto di servizio, e quella non era la cosa più irregolare che stava facendo quella mattina.

In meno di mezz'ora ci trovammo davanti a un bar in un posto imprecisato fra la Bovisa e il Niguarda. Mano di Pietra fece un'altra telefonata. «Siamo qui» disse soltanto e poi chiuse.

Poco dopo arrivò un tizio piccolo e calvo. Aveva un aspetto anonimo e innocuo. L'ultima cosa che avresti pensato, guardandolo senza sapere nulla di lui, era che facesse il ricettatore e lo strozzino.

«Ciao, Vanni, lei è la dottoressa Spada.»

«La conosco, la dottoressa. Me la ricordo bene. Ha anche arrestato qualche amico mio. Avevano tutti paura di lei. Ma non è più procuratore, vero?»

Mano di Pietra stava per dire qualcosa ma lo precedetti.

«No. Adesso lavoro per mio conto e ho bisogno di chiederti una cosa. Estremo bisogno.»

Lui guardò Mano di Pietra; poi guardò di nuovo me.

«Voglio chiarire subito: quello che ci diciamo resterà del tutto confidenziale. Niente di scritto, niente nomi, niente di niente.»

«È per quella storia della donna morta nell'appartamento?»

«Sì.»

«Ho già detto tutto all'ispettore.»

«Mi serve sapere chi è la persona che ti ha raccontato l'episodio. Devo parlargli.»

«Se vi dico il nome, si capirà che sono stato io.»

«Non ci importa niente di lui, di quello che fa, dei suoi furti. Abbiamo solo bisogno di sapere quando è accaduto l'episodio e dove. Una volta che ci ha detto queste cose ci dimentichiamo della sua esistenza.»

L'uomo ascoltava con un'espressione di educata perplessità.

«Mi scusi, dottoressa, ma se lei non è più procuratore che le interessa di indagare su questa cosa?»

Pensai che la cosa migliore fosse dirgli la verità. Più o meno.

«L'anno scorso una donna è stata uccisa. L'hanno trovata morta in un terreno incolto a Rozzano, uccisa con un colpo alla nuca. Non è morta nel posto in cui l'hanno trovata. Le indagini non hanno portato a nulla e il fascicolo è stato archiviato. Ma questo lo sai già. Io sono stata assunta dal marito di questa donna per cercare di scoprire qualcosa d'altro e far riaprire le indagini. Ti ripeto che né quello che ci dici tu, né quello che ci dirà il tuo conoscente verrà fuori in alcun modo. Nulla. Hai la mia parola.»

Lui lanciò un altro sguardo a Mano di Pietra. «Ascolta, Vanni, se non vuoi che lo andiamo a cercare, chiamalo tu. Ci possiamo anche parlare insieme, così lui si sente più sicuro e ci aiuti anche a convincerlo.»

L'ometto lasciò passare ancora qualche secondo, poi si strinse nelle spalle. «Spero che non mi fate fare una cazzata. Ti chiamo domani, Rocco, e ti dico dove ci dobbiamo vedere per parlare con il ragazzo.»

12

Di nuovo in pista, su una vera indagine.

Ero attraversata da ondate di eccitazione così intense da non riuscire nemmeno a pensare. Mi venne voglia di prepararmi una cena, mi venne voglia di *cucinare*. Non mi capitava da tantissimo. Non di cucinare come pratica di sopravvivenza, ma di averne voglia.

Aprii una bottiglia di Pinot nero e preparai la *masalah* di pollo. Ricetta di mia nonna. Era stata un'antropologa, aveva girato il mondo, aveva anche conosciuto Margaret Mead, e, molto prima che da noi diventasse popolare il cibo etnico, aveva imparato a preparare ogni tipo di piatto esotico.

Nonna Penelope mi ha insegnato a cucinare, a fare i giochi di prestigio e molte altre cose che ho sperperato. Mi sono rimaste alcune ricette e alcune vecchie magie. Immagino che la cosa possa avere un significato metaforico ma ho sempre preferito non cercarlo.

È morta quando avevo sedici anni, ma io ho continuato a parlare con lei per tantissimo tempo. Nella mia stanza, di sera. A volte calcolavo quanti anni avrebbe avuto se fosse stata ancora viva. Mi domandavo che consigli mi avrebbe dato, cosa avrebbe detto delle cose che facevo, se sarebbe stata orgogliosa di me. A un certo punto ho smesso, perché non c'è stato più niente di cui essere orgogliosa.

Fu una delle prime donne in Italia a divorziare, dopo la legge del 1970, prima che io nascessi. Il nonno non l'ho mai conosciuto, so solo che da giovane era molto bello e che a un certo punto fece qualcosa di imperdonabile. Tante volte mi sono chiesta se i miei rapporti con gli uomini – non esattamente equilibrati – abbiano avuto a che fare con quella storia, che non mi era stata mai raccontata e adesso era perduta per sempre. Tante volte mi sono chiesta se la mia indole, la mia diffidenza implacabile e distruttiva sia stata determinata anche da quella colpa remota e dalla sua punizione.

Come spesso accade, i pensieri presero a inseguirsi indisturbati e incontrollati, dal nonno che non avevo conosciuto passai a ricordare il mio fidanzato Francesco. Mi amava, credo, e diceva che ci saremmo sposati mentre io inventavo scuse per vedere un altro, un poliziotto che assomigliava a Keanu Reeves. Avrei dovuto trovare la forza di lasciarlo, per me e per lui, ma per tanto tempo non ci sono riuscita. Poi lui mi ha scoperto, com'era inevitabile. Quando fu tutto finito mi dissi che era giusto, nella natura delle cose e della vita. In un libro che non ricordo ho letto una frase che suonava più o meno così: l'infedeltà è andare avanti rifiutando una vecchia nozione di sé stessi. L'infedeltà e i tradimenti sono indispensabili per il progresso, degli individui e delle collettività.

Mi è parso che giustificasse il mio comportamento, ma in parallelo mi risuonava in testa una cosa che avevo sentito dire a nonna, quando io non ero più una bambina e lei era già malata: spesso cerchiamo di giustificare i nostri comportamenti attribuendo le colpe agli altri o alla nostra natura, o al modo in cui vanno – andrebbero – inevitabilmente le cose della vita; affermiamo l'ineluttabilità di certe scelte o di certi comportamenti. Ma spesso certi comportamenti, e i mille modi in cui li giustifichiamo, sono solo sintomo di mediocrità morale.

Mediocrità morale: due parole che mi hanno a lungo ossessionato, come una maledizione o una condanna.

Mangiai al tavolo della cucina, imponendomi di farlo con calma, gustando il cibo e il vino, per contrastare la frenesia, per rallentare il ritmo forsennato della mia mente.

Finito di mangiare fumai una sigaretta e bevvi l'ultimo calice di vino.

Volevo fare una cosa che non facevo da tanto tempo.

Sullo scaffale più alto della libreria c'erano i libri che mi aveva regalato nonna, almeno quelli che ero riuscita a conservare. L'ultimo me l'aveva dato quando era molto vicina alla fine. Salii su una sedia, presi il libro – *Le Vie dei Canti*, di Bruce Chatwin – e lessi la dedica, scritta con quella grafia piena di punte, audace, a tratti rabbiosa, senza tremolii, nonostante la malattia.

Era una poesia di Anna Achmatova.

Sentirai il tuono e mi ricorderai
pensando: lei voleva la tempesta.
L'orlo del cielo
avrà il colore del rosso intenso,
e il tuo cuore, come allora,
sarà in fiamme.

13

Il giorno dopo Mano di Pietra mi chiamò più o meno alla stessa ora.

«Vanni ci aspetta con il ragazzo. Dove passo a prenderla?»

«Sono in giro, in centro. Vediamoci in piazza Cavour, vicino alla fermata dei taxi.»

Rifacemmo la stessa strada del giorno prima e ci ritrovammo davanti allo stesso bar. Vanni ci aspettava con il *ragazzo*, che in realtà era un uomo smilzo, di nome Antonio, dall'età indefinibile fra i trentacinque e i cinquanta e con la faccia che ricordava certi roditori dei cartoni animati.

Salirono in macchina con noi e Mano di Pietra prese a guidare lentamente, senza meta, percorrendo strade sconosciute e anonime. Forse non ero mai passata da quella zona della città in vita mia.

Mi sganciai la cintura di sicurezza per voltarmi verso il sedile posteriore.

«Voglio subito chiarire, per la tua tranquillità. Tutto quello che ci diciamo rimane fra noi; non ci sarà niente di scritto; quando questo incontro finisce ognuno se ne va per i fatti suoi; il tuo nome non comparirà da nessuna parte. Va bene?»

Annuì con l'aria di chi ha già preso una decisione.

«Raccontaci quello che hai raccontato a Vanni. Come te lo ricordi, senza tralasciare nessun dettaglio, anche se non ti sembra importante.»

«Stavo con un amico mio. Lui non lo sa che ho raccontato questa cosa. Decidiamo di farci qualche appartamento e andiamo dalle parti di Porta Genova.»

«Perché proprio in quella zona?»

«È più facile che in centro, ci sono meno porte blindate, meno telecamere. Così andiamo là e cominciamo a suonare ai citofoni.»

«Per vedere quali erano gli appartamenti vuoti?» gli chiese Rocco.

«Sì, facciamo così quando non c'è un posto preciso dove dobbiamo andare, quando non c'è un basista.»

«Vai avanti.»

«Avevamo già provato un paio di palazzi. Eravamo entrati ma gli appartamenti vuoti avevano le porte blindate con quelle serrature nuove che sanno aprire solo i georgiani.»

I georgiani sono in assoluto i migliori ladri di appartamento sulla piazza, non c'è nulla di chiuso che non siano capaci di aprire. Nell'ex Unione Sovietica le fabbriche di chiavi e serrature pare fossero tutte in Georgia. Quando il sistema è saltato le professionalità, per così dire, si sono riconvertite e tramandate.

«Nel terzo palazzo troviamo questo appartamento. Mi pare che era al terzo o al quarto piano. Suoniamo anche alla porta, per sicurezza, ma non c'era nessuno. La porta era blindata, ma di quelle con le vecchie serrature, abbastanza facile da aprire. Così siamo entrati e non c'era allarme.»

«C'era una targhetta sulla porta? Un nome?»

«Non mi ricordo.»

«A che ora siete entrati?»

«Non lo so. Era già buio ma non era tardi. Potevano essere le sei e mezza, le sette. Non lo so.»

«Raccontaci com'era l'appartamento.»

«Era normale, si entrava in una stanza grande, con dei divani, ma c'era anche la cucina. In questa stanza c'erano delle porte, ne abbiamo aperta una e subito abbiamo visto la donna morta per terra.»

«Sei sicuro che fosse morta?»

«Sì. Era ferma e aveva sangue sulla testa.»

«In che posizione era?»

«Faccia a terra.»

«Quindi non l'hai vista in faccia.»

«No.»

«Hai notato com'era vestita? Com'erano i capelli?»

«No... forse i capelli erano scuri... ma non mi ricordo bene. Ce ne siamo scappati, dottoressa. Eravamo andati a rubare e abbiamo trovato una morta. Se ci prendono lì dentro vai a spiegare che non eravamo stati noi.»

Parlava in modo strano, pensai. Alternando i tempi verbali dal passato prossimo, al trapassato, all'imperfetto, al presente, senza una specifica ragione. C'era qualcosa di lievemente ipnotico in quest'uso bizzarro delle coniugazioni.

«Per caso avete notato segni della presenza di un cane nell'appartamento?»

«No, non c'erano cani. Se c'era, abbaiava e noi non entravamo. Se vuoi fare una casa con un cane devi andare attrezzato, ma a me non mi piace di fare male ai cani. Nelle case con i cani non ci vado a rubare.»

«Non mi sono spiegata. Volevo dire: c'erano dei segni che facessero pensare alla presenza di un cane? Tipo brandina, giocattoli, ciotole?»

«Non lo so. Siamo stati dentro due minuti. Abbiamo trovato la donna e siamo scappati via subito.»

«C'era qualche oggetto intorno che ti ha colpito? Non rispondere subito. Visualizza mentalmente.»

Si sforzò ma alla fine disse che non ricordava altri dettagli della scena.

«Mi ricordo solo queste cose: si entrava in una stanza grande, con dei divani e una cucina. Abbiamo aperto questa porta, abbiamo visto la donna e siamo scappati via come pazzi. È un ricordo strano, confuso. Qualche volta ho pensato che mi ero sognato tutto. Però anche il mio amico se lo ricorda e così so che non è un sogno.»

«Va bene. Allora subito dopo aver visto la donna tu e il tuo amico siete scappati. Siete scesi a piedi o con l'ascensore?»

«A piedi.»

«Avete incontrato qualcuno?»

«No.»

«Cosa avete fatto, una volta fuori?»

«Siamo scappati a prendere la metro.»

Stavo per chiedergli se fossero passati davanti a delle telecamere, ma mi resi conto che era una domanda inutile. A più di un anno di distanza qualsiasi eventuale registrazione sarebbe stata cancellata. E sentirsi chiedere una cosa del genere lo avrebbe solo messo in allarme.

«Ovviamente avete parlato di quello che avevate visto.»

«Sì.»

«Cosa vi siete detti?»

«Io ho detto che forse dovevamo avvertire la polizia.»

«E lui?»

«Ha detto che ero un coglione. Che se parlavamo con la polizia ci denunciavamo del tentativo di furto e poi chi sa cosa poteva succedere. E se la donna era stata ammazzata da qualcuno di pericoloso? Non ci dovevamo mettere in mezzo, ce lo dovevamo solo dimenticare e basta. Ho pensato che aveva ragione.»

«Però poi ne hai parlato con Vanni.»

«Sì. Forse era perché non riuscivo a tenermela, quella cosa. Me la sono sognata, la donna, diverse volte. Una volta mi sono anche sognato che si alzava e mi inseguiva.»

«Com'era, la donna del sogno? Sei riuscito a vederla in faccia?»

Mi guardò come si guarda una che fa domande bizzarre, se non assurde. Ma la domanda non lo era affatto. Può capitare che in stato di forte stress una percezione susciti un ricordo offuscato e che questo ricordo venga in qualche modo rielaborato al di sotto della soglia della coscienza e magari, per qualche istante, emerga nitido nel bel mezzo di un sogno.

Non era quello il caso. La donna apparsa ad Antonio era una specie di mostro-fantasma che si alzava all'improvviso e cercava di ghermirlo, sull'orlo del risveglio. Non aveva volto e non c'erano dettagli che potessero aiutarci.

«Dopo quella sera ne avete riparlato, con il tuo amico?»

«No. Cioè, abbiamo detto cose tipo: ti ricordi quella sera? Ma poi finiva lì, senza commenti.»

«Ma non eravate curiosi di sapere cosa fosse successo?»

«Abbiamo guardato la televisione, i giornali la mattina dopo, per vedere se dicevano di una donna morta in un appartamento, ma non c'era niente. Poi dopo io fui arrestato e...»

«Sei stato arrestato? Perché? Quando?»

«Quella cosa mi ha portato male. La sera dopo sono andato a fare un appartamento, con un altro amico mio. Ci avevano detto che la proprietaria, una vecchia, teneva i soldi in contanti, ma sono arrivate le volanti e ci hanno preso mentre stavamo scappando. Ci hanno anche riempito di botte, che sono arrivato in carcere con una costola rotta e al medico ho dovuto dire che ero caduto per le scale in questura.»

«Quanto tempo sei stato dentro?»

«Tre mesi in carcere e altri tre ai domiciliari. Abbiamo fatto il patteggiamento all'udienza.»

«Dopo questo episodio sei stato arrestato altre volte?»

«No.»

«Va bene. C'è ancora una cosa che puoi fare per noi. Devi indicarci il palazzo e poi abbiamo finito.»

Quello si voltò a guardare Vanni, che per tutto il tempo era stato zitto ad ascoltare con un'espressione interessata, come un tirocinante scrupoloso. «Andiamo, fagli vedere il posto» disse soltanto.

«Non me lo ricordo il palazzo. C'era un giardino, ma non mi ricordo il posto preciso.»

«Quanto era lontano dalla fermata della metro?» chiese Rocco.

«Non lo so precisamente.»

«Quanto ci avete messo dal palazzo alla metro, quando siete andati via?»

«Forse dieci minuti...»

«Adesso andiamo lì e diamo un'occhiata. Stando sul posto è più facile che ti ricordi.»

Arrivammo in zona e cominciammo di nuovo a percorrere lentamente le vie. Come prima, ma questa volta con uno scopo specifico. Quelli erano i dintorni, c'era un giardino, ripeteva Antonio – in effetti c'erano diversi condomini con giardino –, ma poi non sapeva indicare il palazzo in cui erano penetrati e dove avevano scoperto il cadavere. A un certo punto disse a Mano di Pietra di fermarsi.

«Mi ricordo quel bar, ci siamo passati davanti. Il palazzo era qua vicino.»

«Perché ti ricordi il bar?»

«Il mio amico ha comprato le sigarette.»

«Prima di entrare nell'appartamento?»

«Per forza. Dopo volevamo solo scappare.»

Facemmo ancora un paio di giri nel raggio di qualche centinaio di metri dal bar, ma senza risultati migliori. «Era in questa zona, vicino a quel bar. Vi ho aiutato, ma non vi so dire di più.»

Mano di Pietra mi guardò, io feci un cenno di assenso. Lui disse al ladro che andava bene così, che aveva fatto una cosa buona e che si era fatto un amico.

«Due amici, per quello che vale» aggiunsi io.

14

Al momento di salutarci Mano di Pietra mi disse che quella notte avrebbe lavorato: un'indagine della direzione distrettuale antimafia, decine di misure cautelari da eseguire contro una cosca calabrese. Mentre parlava di un lavoro che tante volte io stessa avevo coordinato, dal quale adesso ero esclusa per sempre, provai una fitta di nostalgia quasi insopportabile.

Mi avrebbe chiamato la mattina dopo. Gli chiesi di controllare la data dell'arresto del ladro Antonio, un accertamento che avrebbe potuto avvalorare l'ipotesi che la donna dell'appartamento fosse Giuliana Baldi.

Ci ritrovammo verso le dieci in un bar vicino alla questura. Aveva l'aria di uno che non ha dormito tutta la notte e pareva che i suoi cinquant'anni gli fossero piombati addosso in un colpo solo.

«Li avete presi tutti?»

«Un paio non si sono fatti trovare, ma non vanno da nessuna parte. Solo questione di giorni.» Si passò una mano sulla faccia, come in un vano tentativo di strofinare via la stanchezza che si leggeva nelle rughe profonde e negli occhi arrossati. «Sto diventando vecchio. Dieci anni fa, dopo una notte del genere, mi bastava chiudere gli occhi mezz'ora in questura e potevo andare avanti tutto il resto della giornata. Adesso... bah, se non vado a riposarmi cado a pezzi.»

«Invecchiamo tutti. C'è una sola alternativa e non è attraente.»

Barbagallo ci pensò su qualche secondo. «Già. A volte però mi chiedo se non sia il momento di cambiare vita. Diventare vecchi per davvero è un attimo e poi magari pensi a quello che avresti potuto fare e non hai fatto. Vabbè, sono discorsi che si fanno quando sei stanco.»

«Allora, che mi dici?» Non ci fu bisogno di spiegare che non parlavo più degli arresti della notte, della stanchezza, della vecchiaia che arrivava subdola.

«Questa storia è assurda» rispose lui, scuotendo la testa.

«Hai controllato la data dell'arresto del nostro amico Antonio?»

«I colleghi delle volanti l'hanno preso la sera stessa in cui è stato ritrovato il corpo della donna a Rozzano. E in quei giorni non ci sono stati altri omicidi di donne.» Scosse di nuovo la testa, con espressione incredula.

«La donna nell'appartamento era la Baldi.»

«Sì. È incredibile. Che facciamo adesso?»

«Tu per ora non fai nulla, a parte andare a dormire. Io invece vado a farmi un'altra passeggiata da quelle parti, mi guardo un po' intorno e vedo se mi viene qualche idea.»

«Bisognerebbe scoprire qual era l'appartamento.»

«Già.»

«Io che faccio, dottoressa? Dovrei scrivere una relazione al capo.»

«Aspetta, non c'è urgenza. Lasciami qualche giorno per riordinare le idee, riguardare gli atti, farmi venire qualche idea.»

«Dottoressa...»

«Dimmi.»

«Non faccia niente senza avvertirmi. Non sappiamo con chi abbiamo a che fare, non sappiamo in che guaio poteva essersi ficcata la Baldi. Magari ha ragione Antonio e sono coinvolte persone pericolose.»

«Si tratta di un omicidio con un colpo di pistola alla testa. Tendenzialmente chi fa queste cose è pericoloso. Ciò detto, non ti preoccupare, non faccio nulla di avventato.»

«Io invece mi preoccupo perché la conosco. Mi prometta che non farà nulla senza avvertirmi. Io le prometto di non informare nessuno senza prima decidere con lei.»

«Va bene, prometto. Sai cosa ci servirebbe?»

«Cosa?»

«Accertare se in quella zona risulti qualche possessore legale di una calibro 38. Bisognerebbe fare una verifica al CED del Ministero, ma non ho idea del tipo di interrogazione.»

«Questo può essere complicato, perché ormai qualsiasi accesso al CED viene registrato. Se risulta che ho chiesto questa informazione prima di aver riferito ai capi... be', possono venirne fuori dei guai.»

«Hai ragione. Allora per il momento lasciamo perdere. Mi faccio risentire io.»

Mano di Pietra se ne andò a dormire e io decisi di fare un giro nella zona che avevamo pattugliato in macchina il giorno prima. Senza un'idea precisa di cosa fare o di cosa osservare. Sempre quella suggestione – una forma di pensiero magico – per cui nei luoghi dove si è verificato qualcosa può arrivare qualche intuizione inattesa, lo sguardo può diventare più nitido e acuto.

Arrivai a Porta Genova con la metro e presi a passeggiare in zona Tortona, cercando di mettere in ordine le questioni, le domande alle quali occorreva dare risposta per immaginare un progresso dell'indagine. Pensai proprio queste parole: *un progresso dell'indagine.*

Dunque ormai pensavo a quello che stavo facendo come a un'indagine. Perché il corpo di Giuliana era rimasto in quell'appartamento incustodito? Forse l'assassino era uscito per cercare aiuto, per organizzare lo spostamento. Forse perché colto dal panico, per riprendersi prima di pensare a come sbarazzarsi del cadavere.

E a proposito: perché Rozzano? Il luogo in cui era stato abbandonato aveva un significato, conteneva un tentativo di lasciare un messaggio – anche se solo per depistare –, o si trattava di una scelta casuale: un posto squallido e poco frequentato come un altro?

L'ipotesi di un amante respinto o abbandonato rimaneva la più plausibile. O la meno implausibile, quella che richiedeva il minor numero di congetture e le spiegazioni meno complicate.

Mi immaginai Giuliana che aveva una storia con qualcuno – qualcuno innamorato al punto di regalarle l'anello prezioso che aveva notato Aurora e di cui non c'era traccia – che, a un certo punto, decideva di lasciare, troncando la relazione. Come succede a tanti uomini, lui non era stato capace di tollerare la frustrazione, la ferita al suo senso miserabile e malato dell'essere maschio e, come succede a tanti uomini, aveva reagito con la violenza omicida, eliminando la causa di quella insopportabile mortificazione.

Ogni possibilità di dare un impulso all'indagine passava attraverso l'individuazione dell'appartamento. Ma come fare, visto che il ladro Antonio non era riuscito a ricordare il palazzo? Visto che non era possibile fare la ricerca sulle pistole detenute in zona? Visto che non c'era nessun elemento concreto che indicasse una persona concreta – non il fantomatico amante femminicida su cui stavo esercitandomi con le congetture – che Giuliana poteva aver frequentato nel periodo precedente alla sua morte?

Avevo in mano due informazioni, significative ma non connesse fra loro. Non ancora, almeno. Conoscevo la zona in cui, con ogni probabilità, era stato commesso l'omicidio. Sapevo che Giuliana, poco prima della sua morte, era stata vicina a un cane con il pelo bianco e corto. O almeno era stata in un luogo in cui questo cane aveva perso parecchi dei suoi peli bianchi e corti.

L'unico modo – mi dissi – per provare a mettere insieme quelle due informazioni e trasformarle in un'ipotesi investigativa concreta era trovare il cane.

15

Andai a sedermi al bar che ci aveva indicato il ladro Antonio.

Non c'era una ragione precisa per andare proprio là. Ma quando devi cercare qualcosa che non sai esattamente cosa sia, in un posto che non sai esattamente quale sia, ti aggrappi ai pezzetti di informazione che hai. Cerchi di usarli per costruire un principio di struttura, indispensabile perché la nostra intelligenza, la nostra stessa percezione possano funzionare. Diversamente, fluttuano nel vuoto in assenza totale di coordinate.

Così vai in un posto – l'unico che ti è stato indicato con precisione e che però potrebbe non avere niente a che fare con quello che cerchi – e ti guardi attorno, magari parli con qualcuno, insomma, fai dei tentativi.

Nella maggior parte dei casi non succede niente e non ne viene fuori niente, perché nella maggior parte dei casi questo modo di procedere assomiglia alla vecchia storiella dell'ubriaco che a tarda sera cerca affannosamente qualcosa sotto un lampione. Un poliziotto, vedendolo in difficoltà, gli si avvicina e gli chiede se abbia bisogno di aiuto. L'uomo risponde di avere smarrito le chiavi di casa. Il poliziotto gli domanda se le abbia smarrite proprio in quel punto e l'altro risponde che no, le ha smarrite in un vicolo molto buio lì vicino. L'agente stupito gli chiede perché, allora, le stia cercando lì. L'ubriaco replica, col tono infastidito di chi ha sentito una domanda stupida, che le cerca lì, ovviamente, perché sotto il lampione c'è luce.

La differenza fondamentale – e che giustifica un investigatore a fare ciò che nella storiella dell'ubriaco è un comportamento ridicolo – è che di regola non sappiamo dove abbiamo perduto la chiave. E spesso non sappiamo nemmeno se è una chiave o un altro tipo di oggetto che stiamo cercando. Un oggetto completamente diverso. Spesso capiamo cosa stavamo cercando solo dopo averlo trovato.

In passato mi domandavano – giornalisti, o anche solo amici curiosi – quali sono le doti essenziali di un buon investigatore. Rispondevo dicendo delle cose piuttosto ovvie: spirito di osservazione, capacità di ascoltare, capacità di osservare le cose dal punto di vista degli altri, soprattutto degli indagati.

Ma la qualità essenziale di un buon investigatore – non l'avevo mai indicata rispondendo a quelle domande – è la consapevolezza del ruolo decisivo del caso, della fortuna, nella soluzione delle indagini. Il buon investigatore è qualcuno che cerca in modo deliberato di moltiplicare le possibilità che accada qualcosa di casuale e fortunato.

Era una bella giornata, non fredda, e c'era gente seduta ai tavolini all'aperto, con i funghi caloriferi. Mi sedetti fuori anche io, in modo da poter fumare e osservare la strada. Ordinai un caffè e un cornetto con crema e amarena – il mio preferito, da quando ero bambina – e feci una seconda colazione tardiva guardandomi attorno. Nella speranza che passasse un uomo con un cane bianco.

Trascorse almeno un'ora, durante la quale bevvi un altro caffè, fumai qualche sigaretta e non passarono uomini con cani bianchi.

Ordinando il secondo caffè stavo per mostrare al cameriere le foto di Giuliana che avevo sul cellulare. Stavo per chiedergli se la conoscesse, se l'avesse mai vista da quelle parti. Poi mi dissi che non era una buona idea. Era passato più di un anno, anche ammesso che l'avesse mai vista era improbabile che riuscisse a ricordarsela e a riconoscerla. D'altro canto, è proprio il tipo di domanda che incuriosisce quelli cui viene rivolta e che attira l'attenzione su chi la fa. Evenienze che volevo evitare. Rimanere invisibili quando si fa questo genere di lavoro – sia ufficiale, sia a maggior ragione ufficioso, come nel mio caso – è indispensabile.

Decisi che avrei mostrato le foto in giro solo alla fine, se tutti gli altri tentativi non avessero prodotto risultati.

Lasciato il bar presi a percorrere le strade tutto intorno, cercando di immaginare quale potesse essere il condominio e andando alla ricerca di un uomo con un cane bianco.

Mi aggirai nella zona per parecchie ore, mi sedetti in altri due bar, rimasi da quelle parti fino all'imbrunire. Non ebbi misteriose intuizioni, non vidi nessun uomo munito di cane bianco, mi dissi che forse non era il metodo giusto. Anche se non lo sapevo, quale fosse il metodo giusto. Avvertii la rabbia che montava e mi dissi che era meglio non lasciarle spazio, non troppo almeno. Meglio rientrare alla base e riprovarci – non sapevo come – il giorno dopo.

Una volta a casa mi preparai la cena e, per superare la frustrazione, presi a esplorare siti cinofili alla ricerca delle razze di cani a pelo corto bianco. Ne trovai solo tre: il bulldog inglese, il bull terrier e il dogo argentino. Sempre che il cane i cui peli erano stati trovati sugli abiti di Giuliana fosse un cane di razza e non un meticcio. O magari aveva il manto di più colori, mi dissi ricordando il boxer di un ragazzo con cui ero uscita molti anni prima: era bellissimo, tigrato con il petto bianco. Anche se in un caso del genere sarebbe stato improbabile che i peli ritrovati fossero solo quelli del petto. Oppure poteva essere un albino. Oppure semplicemente stavo girando a vuoto: quale che fosse il cane, dovevo vederlo per collegarlo a una persona e provare a procedere. Il resto erano chiacchiere e quella ricerca era priva di senso. Lasciai perdere i cani, guardai un paio di puntate di "Jessica Jones" e alla fine arrivò l'ora di andare a letto.

Avevo cenato con un'insalata e un paio di birre. Poi avevo bevuto un bourbon parecchio abbondante con il ghiaccio tritato. Di regola a quel punto avrei dovuto evitare gli psicofarmaci.

Di regola. Se fossi stata alle regole un sacco di cose non sarebbero accadute. Molte cose pessime ma anche alcune cose buone.

Se fossi stata alle regole mi sarei dovuta preparare a una notte insonne con tutti gli annessi spiacevoli. Non ne avevo nessuna voglia.

16

La mattina dopo mi svegliai riposata e lucida. La rabbia pareva svanita. In realtà era andata ad accucciarsi altrove, pronta a saltare fuori all'improvviso e ad azzannarmi, come certi mal di testa repentini e lancinanti.

Dovevo procedere razionalmente. L'unica cosa da fare era pattugliare – non in modo casuale, come avevo fatto il giorno prima – la zona fra Porta Genova e il Mudec alla ricerca dell'uomo con il cane. Mi ripromisi di dedicare qualche giorno a quella ricerca. Se non fosse emerso niente avrei mostrato in giro la foto di Giuliana. Se nemmeno questo fosse servito avrei detto a Mano di Pietra di scrivere la sua relazione, raccontando quello che aveva appreso da "fonte confidenziale solitamente degna di fede", come recita la formula abituale. E a quel punto ci avrebbero provato loro.

Presi la metro, arrivai a Porta Genova con una cartina della zona – una cartina vera, non Google Maps – su cui avevo circoscritto a penna la zona da ispezionare: grosso modo quella fra via Solari e via Tortona. Cominciai una perlustrazione accurata, annotando tutte le volte che passavo da una strada, i bar in cui mi fermavo, i negozi dei quali guardavo le vetrine. A un certo punto passai davanti alla boutique di Aurora e mi dissi che fare un tentativo non costava niente.

«Buongiorno, si ricorda di me?» Domanda fra le più idiote. L'insicurezza remota, nell'ombra, parlava con quelle parole.

«Certo che mi ricordo. Penelope, l'investigatrice privata.»

Non feci commenti e non precisai che ero privata e basta, non avendo alcuna licenza per fare quel lavoro.

«Ha scoperto qualcosa su Giuliana?»

«Ci stiamo lavorando. Avevo bisogno di farle ancora una domanda.»

«Dica, se posso aiutarla sono contenta.»

«Giuliana è mai venuta a trovarla in compagnia di qualcuno? Un uomo con un cane?»

«No, era sempre sola.»

«Ha mai fatto caso, quando Giuliana la salutava e andava via, se fuori ad aspettarla ci fosse un uomo con un cane?»

Scosse la testa. «Non che io ci abbia fatto caso.»

«E nei paraggi della sua boutique ha mai notato, indipendentemente dalla presenza di Giuliana, un uomo con un cane bianco?»

«Che tipo di cane?»

«Un cane a pelo corto.»

Scosse la testa come prima. Lenta. «Però... Ho quasi l'impressione che una volta Giuliana guardò fuori, come se avesse visto qualcuno. A quel punto mi disse che doveva andare…»

«E lei guardò chi c'era?»

«Forse sì, ma non mi ricordo. Sono cose cui fai caso solo se c'è un motivo specifico, altrimenti le dimentichi facilmente.»

«Provi a rivivere la scena. C'era qualche suono che l'ha colpita, in quel momento? Di cosa stavate parlando? Cerchi di recuperare ogni particolare di quello che è accaduto prima che Giuliana guardasse fuori come se avesse visto qualcuno.»

Si impegnò, credo. Per almeno un minuto non disse niente, con l'espressione intenta di chi cerca di afferrare un ricordo, o anche solo una parola, un nome che le sfugge.

«No» disse alla fine. «Non mi ricordo altro. Posso dirle solo che se ci fosse stato un uomo ad aspettarla ci avrei fatto caso. Ero un po' incuriosita dalla sua vita, da questi misteri, dall'anello prezioso eccetera. Ci avrei fatto caso, se ci fosse stato un uomo. Me lo ricorderei» ripeté con tono conclusivo.

Per diversi giorni, col bel tempo, con la pioggia e anche con una flebile nevicata, feci le stesse cose: prendevo la metro, arrivavo a Porta Genova, percorrevo via Tortona o via Voghera, o via Solari, guardavo le vetrine dei negozi, mi fermavo nei bar, osservavo i palazzi e in particolare quelli con il giardino. Feci caso alle palestre, agli showroom, a qualche galleria d'arte, visitai il Mudec per ben due volte.

Dal secondo giorno estesi le ricerche anche ai due giardini pubblici dei dintorni, nella speranza che lì fosse più facile intercettare cani e padroni.

Frequentai le librerie del quartiere, fra queste una particolarmente bella dove si poteva anche mangiare proprio fra gli scaffali. Ci andai diverse volte, per colazione, per pranzo e a guardare i libri. In una di quelle occasioni, sfogliando un saggio sugli errori cognitivi, inciampai in una specie di indovinello.

Un uomo e suo figlio di dieci anni sono in auto. A un certo punto il padre perde il controllo del mezzo e, nell'incidente che ne deriva, muore sul colpo. Il bambino è ferito in modo grave e deve essere operato d'urgenza. Quando però il chirurgo entra in sala operatoria vede il bambino e dice: «Non posso operarlo, è mio figlio». Com'è possibile?

Io odio gli indovinelli. E li odio soprattutto perché quando ne incontro qualcuno vorrei lasciarlo perdere, perché so che mi incaponirò a cercare di risolverlo e mi innervosirò moltissimo non riuscendoci. E li odio perché invece non sono capace di fare una cosa intelligente come lasciare perdere – non vale solo per gli indovinelli – e mi ci metto, con tutto quello di cui sopra.

Dunque, cominciai ad arrovellarmi. Forse il bambino era il sosia del figlio del chirurgo, visto che pare che ognuno di noi abbia al mondo sette sosia. Bella cazzata, questa. Forse uno dei due era il padre adottivo? In astratto era più plausibile, ma a orecchio non mi sembrava la soluzione giusta, anche se, come sempre, non lo sapevo quale fosse la soluzione giusta. Pensai ad altre due o tre ipotesi, ognuna più stupida dell'altra, poi cominciai a innervosirmi, secondo copione.

"Che nervi, adesso guardo la soluzione, sarà una cosa ovvia" (quasi tutto è ovvio, quando ti viene spiegato) "e mi irriterò ancora di più." Però non guardai la soluzione. Come a volte mi capita quando ho un problema che non riesco a risolvere, cercai di immaginarmi la scena, di visualizzarla, invece di pensarci su in modo astratto.

Quando stavano per operarmi al ginocchio, dopo l'incidente che aveva chiuso la mia carriera sportiva, c'erano il chirurgo, un'anestesista e un'infermiera. Dunque due donne e un uomo. Nel ricordo la faccia dell'anestesista si sovrappone a quella del chirurgo.

Chi lo ha detto che il chirurgo è un uomo?

Bum.

Il chirurgo dell'enigma è la *madre* del bambino, non il padre.

Mi godetti qualche istante di esultanza infantile. Guardai sul libro solo per prolungare quella sensazione e lessi qualche rigo di commento all'indovinello.

"Il maschile è la categoria predefinita, il criterio fondamentale di lettura del mondo. Dunque la causa fondamentale della cattiva comprensione del mondo. Si tratti di questioni fondamentali, si tratti di cose della vita quotidiana."

"Si tratti di indagini" mi dissi come se stessi parlando con qualcuno. "Chi lo ha detto che l'assassino è un uomo?"

Però fino a quel momento avevo pensato all'assassino come a un maschio. Tutte le ipotesi – quelle esplicite e quelle implicite – ruotavano attorno all'idea che fosse un maschio.

Riposi il libro e uscii per strada, in preda a un formicolio della mente, la sensazione elettrizzante di avere colto qualcosa che poteva essere decisivo. "Se ci fosse stato un uomo ad aspettarla ci avrei fatto caso" aveva detto Aurora. Se invece ci fosse stata una donna? Domanda inutile e comunque senza risposta. Ma il concetto era più o meno quello a cui stavo pensando io: vedi, percepisci quello che, consapevolmente o meno, stai cercando. Com'era quel detto cinese? "Due terzi di quello che vedi è dietro i tuoi occhi", o qualcosa di simile.

Mi domandai se in quei giorni di perlustrazioni e osservazioni non mi fossi fatta sfuggire una donna con un cane bianco, solo perché cercavo un *uomo* con un cane bianco. Visione a tunnel, cecità selettiva eccetera. In effetti, avevo visto – o mi accorsi di aver visto – solo uomini con cani bianchi, nessuno col pelo corto. Due pastori maremmani, un volpino di Pomerania, una specie di bellissimo lupo bianco. Era un pastore svizzero, mi aveva detto il suo orgoglioso proprietario, spiegandomi che quella razza ha il pelo bianco perché è più facile distinguerlo, nell'oscurità, da quello dei lupi. Mentre lo ascoltavo parlare avevo pensato che sarebbe una buona cosa se i sorveglianti fossero sempre così facilmente distinguibili dai predoni. Il che, invece, spesso non accade. "Complimenti, molto filosofica" mi ero detta prima di salutare quel signore e abbandonare l'argomento.

Avevo incrociato donne con cani bianchi e non le avevo viste perché cercavo un uomo? Probabilmente no: cercavo un cane bianco, quello era il criterio. Se ne avessi visto uno, anche se al guinzaglio di una donna, lo avrei notato. Ma non potevo esserne certa e in ogni caso era inutile pensarci adesso.

17

Magari l'avrei vista in un altro momento; o avrei abbandonato le ricerche e la storia – questa specifica storia, ma forse non solo – avrebbe preso un corso del tutto differente.

Erano passati altri due giorni, sei da quando avevo cominciato quella ricerca che di momento in momento mi sembrava sempre più vana e assurda. Niente come la percezione del fallimento fa perdere senso anche alle cose che in teoria ne avrebbero.

Ormai ero quasi rassegnata. L'indomani avrei provato a mostrare in giro le foto di Giuliana, tanto per non lasciare in sospeso quell'idea, per poter dire che avevo provato tutto quello che si poteva. Poi avrei chiamato Rocco Barbagallo, gli avrei detto di riferire ai suoi superiori e mi sarei tolta di mezzo.

Entrai in un bar e chiesi un caffè corretto con grappa. Ormai quel tipo di ordinazione, soprattutto al mattino, non è così frequente e il barista, un giovanotto belloccio, muscoloso e tatuato mi lanciò uno sguardo perplesso e seducente. Almeno nelle sue intenzioni. «Bevi per dimenticare?»

«Ci conosciamo?»

«Non ancora, ma mi piacerebbe conoscerti.»

«Sa perché gliel'ho chiesto?»

«Perché?»

«Perché mi sta dando del tu, invece di darmi del lei come sarebbe educato con una signora. In realtà: come sarebbe educato con chiunque non si conosca.»

Cercò una buona risposta, senza trovarla. Allora balbettò solo delle scuse goffe e si girò per preparare il caffè.

Mi ero innervosita – averlo maltrattato a parole non mi bastava, avrei voluto spaccargli la faccia – e forse per questo, forse senza nessun motivo, mi voltai nella direzione opposta alla sua, cioè verso la porta di ingresso. In tempo per vedervi inquadrata – fu una frazione di secondo – una donna che passava con un cane bianco al guinzaglio.

Mi precipitai fuori e il barista dovette pensare che mi ero davvero molto infastidita per la sua avance. Seguii la donna e il cane fino a quando entrarono in una tabaccheria.

Ci passai davanti, pensando freneticamente a cosa fare, proseguii per una decina di metri, presi una decisione, mi sputai sulle mani. Poi tornai indietro ed entrai anch'io.

Il cane – un bellissimo bull terrier – era seduto a fianco della padrona, una donna non brutta, in buona forma, curata ma tutto sommato piuttosto anonima. Aveva l'aspetto di un'assassina? E chi ce l'ha, l'aspetto di un assassino? Quasi tutti quelli che avevo incontrato nella vita precedente, quasi tutti quelli che avevo fatto arrestare e poi condannare, avevano l'aspetto di persone normali. Alcuni simpatici, altri noiosi, altri odiosi, ma quasi tutti normali. Qualunque cosa significhi la parola *normale*.

«Ma è bellissimo. Come si chiama questo ragazzo?» dissi avvicinandomi alla bestia e rendendomi conto, mentre parlavo, che in realtà era una signorina. Anche in quanto al cane, mi resi conto che, fino a quel momento, avevo sempre pensato si trattasse di un maschio.

La donna mi guardò e sorrise dopo un attimo di esitazione. «È una ragazza. Si chiama Olivia.»

«Posso accarezzarla? È una razza che mi piace tanto, una persona cui volevo bene ne aveva uno uguale.»

«Sì, è buonissima con i bambini e con le donne. Con gli uomini è diffidente e con gli altri cani a volte è aggressiva.»

Pensai che Olivia aveva un'idea chiara e abbastanza condivisibile del mondo. Mi piegai sulle ginocchia e l'accarezzai sulla testa e sul corpo con tutte e due le mani umide della mia saliva, per recuperare quanti più peli potevo. Lei prese a muovere la coda, una coda che sembrava un piccolo bastone, rigida e buffa, e spinse la testa contro le mie gambe. Era tutta muscoli, durissima, con una concretezza – le mascelle, la schiena, le zampe – che non avevo mai sentito prima accarezzando un cane.

«È giovane, vero?» chiesi rialzandomi.

«Ha tre anni.»

«L'ha presa quando era cucciola?»

«Sì, aveva due mesi e mezzo. Era davvero buffissima.» Significava che all'epoca dell'omicidio di Giuliana il cane c'era già. Un altro tassello, pensai, sentendomi in colpa verso Olivia, che continuava a scodinzolare mentre io ero gentile con lei solo per recuperare prove contro la sua padrona. Dunque, per rovinare la sua vita di cane felice.

«Davvero stupenda, complimenti.»

Quella mi guardò per qualche secondo, con l'espressione un poco perplessa, di chi si chiede se ci sia qualcosa da capire e non trova una risposta. Poi mi ringraziò, pagò le sue sigarette e uscì.

Il tabaccaio mi chiese cosa desiderassi. Io lasciai passare qualche secondo senza rispondere. «Mi scusi» dissi infine. «Ho dimenticato una cosa» e uscii.

Mentre iniziavo a seguire a distanza la donna con il cane, per scoprire dove abitassero, mi guardai le mani. C'erano abbastanza peli per qualsiasi accertamento, se solo fossi riuscita a procurarmi gli altri che servivano per la comparazione.

La donna e il cane svoltarono l'angolo dalla parte opposta a quella da cui eravamo arrivate. Le seguii e svoltai anch'io, in tempo per vederle entrare nel giardino di un condominio. Proprio uno di quelli davanti ai quali eravamo passati qualche giorno prima, con il ricettatore Vanni e il ladro Antonio.

La mattina dopo chiamai Mano di Pietra. Ci vedemmo in un bar vicino alla questura, prendemmo il caffè, poi dissi che era meglio parlare fuori. Quello che dovevo chiedergli mi rendeva un po' nervosa – presto avrebbe reso nervoso anche lui – e lievemente paranoica. Quando sei paranoica, in questo campo, la prima cosa cui pensi è che il tuo interlocutore, per le più varie ragioni, possa essere intercettato, che magari abbia un trojan nel telefono e che la vostra conversazione possa finire in qualche verbale e dunque nelle mani sbagliate.

«Spegniamo i telefoni per cinque minuti, se non ti dispiace.»

Lui mi guardò, fu sul punto di domandarmi qualcosa, poi lasciò perdere. Spense il telefono, io feci la stessa cosa, entrambi accendemmo una sigaretta.

«Che sta succedendo, dottoressa? Devo preoccuparmi?»

«Forse ho trovato qualcosa di serio.»

«Cosa?»

«Dammi ancora un paio di giorni e poi ti dirò tutto, comunque vada. Adesso devi farmi un piacere.»

«Ho paura quando dice che devo farle un piacere. Soprattutto se prima di parlarne dobbiamo spegnere i telefoni.»

«E hai ragione.»

Poi gli spiegai, e quello che gli spiegai non gli piacque. Non piaceva nemmeno a me, ma non c'erano alternative.

Doveva prendere i plichi con i corpi di reato custoditi in questura, aprire la bustina contenente i peli del cane repertati sugli abiti di Giuliana, prendere tre o quattro di questi peli e metterli in un'altra bustina, richiudere il reperto, risigillarlo, rimettere tutto a posto e portarmi i peli prelevati.

Quando ebbi finito di parlare rimase a lungo a guardarmi senza dire niente. Poche volte mi è stato così chiaro il significato dell'espressione *senza parole*.

«È una cosa meno problematica di quanto ti sembri. Innanzitutto non se ne accorgerà mai nessuno. Poi non faremo nessun danno alle eventuali ulteriori indagini perché basta prelevare tre o quattro peli, come ti ho detto. Ne rimarranno a sufficienza per qualsiasi successivo accertamento tecnico.»

«Quanti reati commetterò?» disse alla fine.

«Quanti reati *commetteremo*: io sono l'istigatrice. Parecchi, comunque. Sono sicura che non ti interessa il dettaglio.»

Lui sospirò. «Cerco di farlo domani mattina presto, quando c'è meno gente in giro. Se non mi arrestano in flagranza la chiamo, altrimenti avrà mie notizie dal telegiornale.»

Gli diedi un pugno sulla spalla ma avrei voluto abbracciarlo. «Se abbiamo un po' di fortuna forse fra qualche giorno ti presenti al tuo capo con il caso risolto.»

Non aggiunsi alcun riferimento alla possibilità che *non* avessimo fortuna.

18

La sera dopo Mano di Pietra mi chiamò, verso le nove. Ero a casa.

«Posso passare da lei, dottoressa?»

«Certo.»

«Ho quel libro che mi aveva chiesto. Se è in casa glielo porto.»

Mezz'ora dopo mi citofonò, io scesi e lui mi consegnò una busta gialla anonima e burocratica, di quelle che si usano negli uffici.

«Grazie, Rocco. Non me lo dimenticherò.»

«Invece deve proprio dimenticarselo, dottoressa.»

La battuta venne bene. Sorrisi, il che non capita spesso. «Hai ragione. Se mi chiedono qualcosa io nemmeno ti conosco.»

Lui annuì. In quel cenno così apparentemente insignificante c'era un senso di verità, che mi toccò nel profondo.

«Ti faccio sapere al più presto.»

Risalì sulla macchina che aveva parcheggiato in doppia fila e andò via mentre io tornavo su.

Adesso avevo un campione dei peli di cane ritrovati sugli abiti di Giuliana e un campione prelevato abusivamente dal cane di una donna sconosciuta, di cui ancora non sapevo nemmeno il nome e che magari non c'entrava niente.

Ci misi un po' a trovare il numero in uno dei vecchi computer che avevo conservato dai tempi della vita precedente.

«Carlo?»

«Chi parla?»

«Penelope.»

Non rispose subito. «Penelope... porca puttana...»

«Il tuo stile leggendario non è cambiato, vedo.»

«Come stai? Cazzo, sono contento di sentirti.»

«Sto bene, e tu?»

«Sto bene, sto bene. Divento grasso ma per il resto sto bene.»

«Il destino degli ex atleti, diventare grassi.»

«Non credo che tu stia diventando grassa.»

«No, in effetti no.»

«Penny...»

«Dimmi.»

«Mi dispiace, avrei dovuto chiamarti. Me lo sono detto tante volte e poi non trovavo il coraggio, non sapevo cosa dirti. Poi il tempo passava, e più passava più diventava difficile farmi sentire. Sono un vigliacco, ma...»

«Basta, per piacere. Hai fatto bene a non chiamarmi. Ero fuori di testa, chi mi ha chiamato se ne è pentito.

Era una storia da cui dovevo uscire per conto mio. Poi, poco dopo, ho eliminato il mio vecchio numero, dunque, anche se avessi provato a telefonarmi ti avrebbe risposto una voce meccanica, informandoti che quel numero era inesistente.»

«L'hanno fatta pagare solo a te. Stronzi.»

«Gli stronzi fanno parte del paesaggio, ma io ho fatto una cazzata imperdonabile. A volte non se ne accorge nessuno, a volte invece sì, e finisce male, come nel mio caso. Ciò detto, possiamo archiviare l'argomento. Mi serve un piacere.»

«Dimmi.»

«Se ti porto dei peli di cane, due campioni diversi di peli di cane, quanto ci metti per dirmi se appartengono o meno allo stesso animale?»

«Posso chiedere perché?»

«No. Quanto ci metti?»

«Cazzo, bello vedere che anche tu non sei cambiata. Con un normale esame comparativo al microscopio possiamo già formulare una buona approssimazione, soprattutto se i peli sono dello stesso colore. Per fare questo – incluso l'esame della sezione trasversale – bastano un paio d'ore o poco più da quando ricevo i reperti. Se dovessi effettuare anche l'esame del midollo mi servirebbe più tempo.»

«Quindi puoi dirmi se appartengono allo stesso animale?»

«Posso dirti che, *probabilmente*, appartengono allo stesso animale. Per la sicurezza, o la quasi sicurezza, occorrono accertamenti genetici, test del DNA, insomma. Per questo è necessario che i peli abbiano i bulbi, siano in buono stato di conservazione eccetera eccetera.»

«E quanto ci vuole in questo caso? O, meglio, quanto ci metti?»

«Il DNA su reperti animali non è nelle mie competenze. Bisogna andare da qualche specialista. Genetisti veterinari, direi.»

«Sei in laboratorio?»

«No. Certo che no, cazzo. Sono le nove di sera.»

«Quando posso portarti questi campioni?»

Sospirò rumorosamente.

«Vediamoci domattina alle dieci. Ti faccio subito l'esame al microscopio e poi, nel caso, capiamo a chi ci si può rivolgere per il DNA.»

«Ok, grazie, Carlo. Ci vediamo domattina.»

«Penny?»

«Sì?»

«Siamo sicuri che non mi fai fare nulla di irregolare?»

«Mi credi capace?»

«Sì.»

«Appunto. Quindi non fare domande inutili. A domani.»

Il giorno dopo era una giornata grigia ma senza minaccia di pioggia. Almeno così avevo deciso. Presi la moto e arrivai in Bicocca in una ventina di minuti mentre cadevano le prime gocce. Carlo mi aspettava nel suo laboratorio. Aveva ragione, era ingrassato, non doveva pesare meno di cento chili, i pochi capelli rimasti erano lunghi e contribuivano a dargli un aspetto sciatto. Quello di uno che si è rassegnato, già da un po'. Era stato un bel ragazzo, un campione di canottaggio e una delle persone più divertenti che avessi mai conosciuto. Ci eravamo frequentati clandestinamente per qualche mese prima del suo matrimonio con una ragazza che conoscevo bene. Una delle tante cose – non certo la più grave – di cui non andavo fiera.

Ci abbracciammo e mi tenne stretta qualche secondo più del necessario.

«Cosa fai per mantenerti così bella e in forma? Che integratori prendi?»

"Vino, whisky, sigarette e all'occorrenza psicofarmaci."

«Mi alleno un po' e vado a letto presto la sera.» Non mi riuscì proprio di ricambiare il complimento. Dopo qualche convenevole e qualche reticente informazione sulle rispettive esistenze, cosa di cui avrei fatto volentieri a meno, gli consegnai le due bustine con i campioni.

Per evitare pasticci avevo attaccato su ciascuna un'etichetta adesiva: numero uno il reperto sottratto da Barbagallo, numero due i peli del cane della donna. Molto ingegnoso.

«Come ti dicevo, mi occorre sapere se i peli possono appartenere allo stesso animale.»

«Come ti dicevo, mi servono un paio d'ore.»

«Vado a farmi un giro e ritorno a mezzogiorno, va bene?»

«Puoi aspettarmi nel mio studio, se vuoi. Piove.»

«Vado a farmi un giro, prendo un caffè, mi fumo una sigaretta e ritorno a mezzogiorno» ripetei.

Andai a sedermi in un bar lì vicino e lasciai passare il tempo e la pioggia, pensando a cosa avrei potuto o dovuto fare se Carlo mi avesse confermato che quei peli appartenevano allo stesso animale.

Una parte di me diceva che avrei dovuto fermarmi e raccontare tutto a Barbagallo, che avrebbe poi trovato il modo di informare i suoi superiori – dicendo loro parecchie bugie e ovviamente senza includermi nel suo racconto –, che a loro volta avrebbero informato la procura, che a sua volta avrebbe riaperto le indagini eccetera eccetera.

Un'altra parte replicava, alzando la voce, nemmeno a parlarne. Ero arrivata a quel punto e avevo il diritto di concludere, di andare fino in fondo. Anche perché quelle informazioni, maneggiate in modo burocratico, potevano risolversi di nuovo in un nulla di fatto.

Per essere chiari: in quel momento non mi importava niente di Rossi – non ci pensai nemmeno un secondo –, non mi importava della cosiddetta giustizia, non mi importava della vittima. Mi importava solo della caccia. Cazzo, se davvero ero così vicina alla preda, toccava a me prenderla.

A mezzogiorno ero di nuovo da Carlo. Questa volta andammo a sederci nel suo studio.

«Allora?»

«Ci vuole una premessa. Un pelo tipico consiste di

tre strati di cheratina disposti l'uno intorno all'altro. La parte centrale è detta midollo, che è circondato dalla corteccia, rivestita infine dallo strato più esterno, conformato a scaglie, la cuticola. Sono tutti composti di cellule morte e cheratinizzate in vario grado...»

«Grazie, apprezzo molto il tuo scrupolo. Facciamo finta che mi abbia già recitato tutta la premessa scientifica e metodologica. Mi fido. Sono dello stesso animale?»

«Come ti dicevo, questo è possibile dirlo con sicurezza solo con un'indagine genetica.»

«Potrebbero essere dello stesso animale, anche senza affermarlo in modo categorico al di là di ogni ragionevole dubbio? Ti prego: rispondimi sì o no, la tensione mi sta uccidendo.»

«Sono morfologicamente identici. Dunque sì, potrebbero essere dello stesso animale. Diciamo che è abbastanza probabile.»

È molto difficile descrivere cosa si prova in quei momenti. Quella sensazione che pensavo non avrei provato mai più. Fui scossa da una vibrazione fisica, come accade con certe sostanze. L'avevo trovata, cazzo, l'avevo trovata. Carlo dovette accorgersene, in qualche modo.

«Di che si tratta, Penny? Che stai facendo?»

«Meglio che tu non lo sappia. Ti devo un favore ma dimenticati quello che è successo stamattina.»

«Mangiamo un boccone insieme?» Ci fu qualcosa nel modo in cui lo disse, guardando con finta noncuranza l'orologio, qualcosa di patetico e fuori posto, che mi diede un senso di profondo disagio, mentre per qualche istante le immagini dei nostri corpi giovani e impazienti e prigionieri del passato mi attraversavano la mente.

«Grazie, Carlo. Un'altra volta magari. Adesso devo scappare, sono già in ritardo.»

19

Non dovetti riflettere troppo. Non potevo scoprire niente di più, da sola. L'unica cosa da fare era chiedere a lei tutte le spiegazioni. Un azzardo, naturalmente. Come tutto.

Il giorno dopo andai ad appostarmi davanti a casa sua verso le sette, per intercettarla quando fosse uscita a portare fuori Olivia.

Curioso, mi dissi mentre aspettavo nell'oscurità inospitale della mattina di inverno, conoscevo il nome del cane ma non quello della donna. Ero sicura che lei, in un modo o nell'altro, c'entrasse con la morte di Giuliana, ma non sapevo chi fosse.

Poco dopo le sette e mezza, quando un chiarore livido cominciava a prendere il posto dell'oscurità, donna e cane uscirono dal cancello.

Mi chiesi se seguirla e poi fermarla al ritorno a casa. Mi dissi che era inutile tergiversare, così attraversai la strada e la raggiunsi.

«Buongiorno» e mentre lo dicevo mi parve quello che era: un'espressione idiota e fuori luogo. Quello che stava cominciando sarebbe stato tutto fuorché un buon giorno, per lei. Comunque fossero andate le cose. Olivia mi fece festa, saltandomi addosso con le zampe anteriori, dimenando la sua coda a bastone. L'accarezzai su quella testa che sembrava di cemento.

La donna mi guardò. «Era lei dal tabaccaio.»

«Sì. Dobbiamo parlare.»

Sospirò, le spalle le si curvarono, e io provai pena per lei. Mi era già capitato in passato, dopo aver dato a lungo la caccia a qualcuno, quando tutto era finito.

«Come avete fatto a trovarmi?»

«Andiamo da qualche parte a parlare.»

«Le dispiace se prima faccio fare a Olivia la sua passeggiata?»

«No, certo. Vengo con lei.»

Così andammo ai giardini su via Stendhal dove liberò il cane.

«Ho come un senso di sollievo, adesso che mi avete trovata. È assurdo, vero?»

Continuava a usare la seconda persona plurale e io la lasciai fare. «No, non è assurdo.»

«Mi sta arrestando?»

«Prima parliamo.»

«Vuole che andiamo su, a casa mia?»

"Forse vuole uccidere anche me."

Il pensiero mi attraversò la mente, distinto e articolato in parole. Come un cartello o un avviso di pericolo. D'istinto controllai di avere in tasca il mio calzino. Gesto piuttosto privo di senso: di fronte a una pisto-

la la mia arma artigianale, efficacissima in una collut-
tazione, sarebbe stata del tutto inutile e anche piuttosto ridicola.

Poi mi dissi che lei pensava io fossi la polizia, che
appartenessi a quel soggetto collettivo che evocava
usando la seconda persona plurale – come *avete* fatto
a trovarmi? –, e dunque ero propensa a escludere che
volesse uccidermi.

«Va bene, andiamo su da lei, così mi mostra i luoghi.»

«Dovrà fare una perquisizione?»

«Non necessariamente. Dipende da quello che mi
dirà.»

Andammo a casa sua ed entrando pensai a quanto
fosse surreale la situazione. Visitavo la scena del crimi-
ne dopo avere scoperto l'omicida, ma senza conoscere il
suo nome e senza sapere cosa fosse accaduto. Molte volte avevo camminato sul filo. Mai come quella mattina.

Era un bell'appartamento, e corrispondeva alla de-
scrizione del ladro Antonio. Si entrava direttamente in
un soggiorno spazioso con una cucina a isola e due divani di alcantara. Con ogni probabilità quelli da cui
provenivano le microfibre trovate sugli abiti di Giuliana. C'era un lieve sentore di fumo freddo. Sul lato sini-
stro c'erano tre porte, due chiuse, una aperta sulla camera da letto.

«Vuole un caffè?»

«Sì, grazie.»

«Si accomodi pure.»

Mi sedetti su uno dei due divani, Olivia venne a farsi accarezzare, la donna faceva i caffè con una macchinetta per l'espresso, tutta la scena mi faceva pensare a un quadro di Hopper. A come lo avrebbe dipinto se fosse stato lì.

Prendemmo il caffè e poi lei mi chiese se mi disturbava il fumo. Dissi che no, non mi disturbava, avrei fumato anch'io una sigaretta.

«Avevo smesso da anni» disse accendendosi una di quelle sigarette sottili e insuls   «Ho ricominciato dopo...»

Non dissi nulla. Parlare il meno possibile è sempre la strategia migliore. A volte l'unica.

«Come avete fatto a trovarmi?»

«Il cane» risposi.

«Il cane?»

«C'erano peli del suo cane sui vestiti di Giuliana.»

Non avevo idea di cosa dirle se non si fosse accontentata e mi avesse chiesto di spiegarle meglio. Ma lei non chiese altro, parve soddisfatta di quella risposta che non rispondeva a nulla.

«Ormai ero quasi sicura che non sarebbe potuto accadere.» Aspirò con forza. «Ma sa una cosa?»

«Cosa?»

«Quando mi sono convinta che non mi avreste trovata, ho cominciato a pensare di presentarmi e confessare.»

«Succede.»

«Succede? Nei primi mesi non avevo senso di colpa. Poi col passare del tempo si è fatto strada. Stava diventando insopportabile, sempre più spesso pensavo: adesso vado, confesso e mi tolgo questo peso. Forse se avessi avuto qualcuno cui raccontare tutto non sarebbe stato così.»

«Date parole al dolore...» dissi quasi senza rendermene conto.

«Come ha detto?»

«È una frase di Shakespeare, dal *Macbeth*: "Date parole al dolore. Il dolore che non parla sussurra al cuore oppresso e gli dice di spezzarsi".»

Assunse un'espressione pensosa, elaborava quello che aveva appena sentito. «È proprio così» disse alla fine.

Si alzò per aprire una finestra e fare cambiare l'aria.

«Mi racconti tutto dall'inizio, come se io non sapessi nulla.»

E mi raccontò tutto dall'inizio, come se non avessi saputo nulla. Cioè proprio la situazione in cui ero.

Lei faceva la rappresentante di gioielli, aveva conosciuto Giuliana in palestra e l'aveva ingaggiata come personal trainer, ormai quattro anni prima. Veniva a casa da lei, due o anche tre volte alla settimana. Parlavano tanto, si scambiarono confidenze, sempre più intime, sulle rispettive vite, si confessarono di essere attratte dalle donne. Un pomeriggio, inevitabilmente, finirono una nelle braccia dell'altra.

«Per lei era la prima volta con una donna?»

«Sono stata sposata, da ragazza mi piacevano gli uomini. O almeno credevo. Poi qualche anno fa ho scoperto che le cose stavano diversamente. Prima di Giuliana avevo avuto un paio di storie con delle donne.»

«E per Giuliana?»

«Nemmeno per lei era la prima volta. Lei ha mai avuto esperienze con un'altra donna?»

«È capitato.»

«Non si è mai innamorata di una donna?»

"Molto raramente anche di un uomo" pensai. "Nemmeno mi ricordo com'è." «No, sono stati episodi. Niente storie d'amore.»

«Fino ad allora era stato lo stesso anche per me, ma con Giuliana è cambiato tutto. Prima mi sono innamorata, poi è diventata un'ossessione. Non sopportavo che la sera tornasse dal marito, non sopportavo che non potesse fermarsi a dormire con me, non sopportavo che dormisse con lui, non sopportavo l'idea che facesse l'amore con lui, anche se lei diceva che ormai non succedeva da tempo.»

«Anche Giuliana era innamorata?»

«Credo che per qualche mese ci abbia creduto. Facevamo progetti per il futuro, lei si sarebbe separata e sarebbe venuta a vivere con me. Diceva che la sua unica preoccupazione era per la figlia, bisognava capire come fare. Aveva paura che il marito ne ottenesse l'affidamento se fosse venuto fuori che la madre aveva una relazione omosessuale. Io le dicevo che saremmo andate insieme da un'avvocata mia amica, per farci consigliare, per non correre quel rischio.»

«E Giuliana cosa diceva?»

«Lei diceva di sì. Anche se poi un paio di volte, quando ho proposto di prendere un appuntamento, mi ha risposto che non era ancora pronta, che doveva lavorare su sé stessa. Era questa l'espressione che usava. Lavorare su sé stessa.»

Dopo l'estate Giuliana pareva cambiata. Sembrava molto meno convinta – ammesso che lo fosse mai stata davvero – di lasciare il marito. Cominciò a mancare gli appuntamenti, a essere evasiva, a non voler fare l'amore. Alla fine disse che stava pensando di prendersi una pausa, non ce la faceva più con le bugie, voleva capire cosa fare con la sua famiglia, voleva vedere se era possibile salvarla, per la bambina.

«Ma lo sappiamo tutte cosa vuol dire: prendersi una pausa. È un modo più gentile, o forse semplicemente più vigliacco, per dire: ti sto lasciando. Ne avevamo parlato più volte, avevamo litigato e poi fatto pace, ma quel pomeriggio era così... determinata. Mi disse che era venuta a dirmi addio, da quel giorno non ci saremmo più viste. L'ho implorata e poi l'ho minacciata e lei si è indurita e sono volate parole grosse. Non so se può capirmi: la persona che ami di più al mondo, per la quale senti la più grande intimità, la più grande tenerezza possibile, d'un tratto diventa un'estranea spietata. Le è mai capitata una cosa del genere?»

Sì, certo, solo che avevo interpretato quasi sempre il ruolo dell'estranea spietata.

«Credo sia capitato un po' a tutti.»

«All'improvviso ogni cosa perde significato. Nemmeno lo so come ho tirato fuori la pistola. Ce l'avevo da qualche anno, per via dei gioielli. Regolarmente detenuta, ma questo lo sapete già.»

Feci un cenno del capo. Se fossi stata quello che lei credeva, ovviamente lo avrei saputo.

«Eravamo in quella stanza. Le ho detto: se non ti fermi giuro che sparo.»

«E lei?»

«Mi ha detto che ero una povera pazza, che non capiva cosa cazzo avesse trovato in me, che ero una frustrata, peggio di suo marito. Giuliana poteva essere molto sprezzante.»

Rossi aveva detto praticamente la stessa cosa.

«Le ho ripetuto che, se non si fermava, avrei sparato, e lei ha messo la giacca e stava andando. Allora ho fatto fuoco. Non volevo ucciderla, lo giuro. Volevo sparare sul muro, far passare il proiettile vicino alla testa per terrorizzarla e fermarla. Lo so che è difficile da credere, io stessa non mi ricordo cosa ho pensato nell'istante in cui premevo il grilletto. Ma non posso avere avuto l'intenzione di ucciderla. Volevo fermarla, volevo fermarla, mi sembrava inimmaginabile che uscisse dalla mia vita.»

Si tormentò le dita di una mano con l'altra, con un gesto ossessivo che mi ricordò una mia compagna di scuola timidissima, che tutti prendevano in giro. Le offrii una delle mie sigarette e la prese, anche se erano molto più forti delle sue. Ne accesi una anch'io. Il cane si spostò, in modo piuttosto ostentato: pareva una muta protesta contro il fumo.

«Mi racconti cosa è successo dopo.»

«Era morta, sul colpo. Ho spostato il corpo per chiudere la porta e sono venuta a sedermi qui, dove siamo adesso. Pensavo di chiamarvi, dirvi di venire, che avevo ucciso una persona. Confessare tutto. Anzi pensavo che forse sareste arrivati prima ancora che mi decidessi a chiamare, qualcuno che aveva sentito lo sparo vi avrebbe chiamati e sareste arrivati per vedere cosa era successo. Poi il tempo passava e io non chiamavo e nemmeno arrivava nessuno. Allora ho ricominciato a pensare e mi sono immaginata il futuro: tutta la vita in prigione. E soprattutto, le sembrerà strano, mi sono chiesta che fine avrebbe fatto Olivia. Questo pensiero mi ha reso incredibilmente lucida. Tutta la confusione, la nebbia che avevo nella mente è stata spazzata via. Dovevo risolvere un problema, tutto il mio cervello è stato preso da questo.»

«Cosa ha fatto?»

«Per prima cosa ho portato il cane dal dog-sitter, un ragazzo che tiene anche qualche cane a pensione, quando occorre. Dopo sono andata direttamente in un ipermercato, in uno di quei grandi magazzini in cui vendono le cose per il bricolage, falegnameria, giardinaggio e simili. Ho comprato un carrello di quelli che si usano per trasportare le merci, gli scatoloni, il più grosso che c'era. Poi nastro adesivo da imballaggio e corda. In farmacia guanti in lattice.»

«Perché i guanti in lattice?»

«Non sapevo se si potessero trovare le impronte digitali sui vestiti e siccome dovevo trasportarla ho pensato di prendere questa precauzione.»

«Quanto tempo è stata fuori di casa?»

«Almeno tre ore.»

«Ha messo l'allarme quando è uscita?»

«No. In realtà non ho neanche chiuso a chiave: me ne sono resa conto tornando a casa.»

«Si è fatta aiutare da qualcuno per trasportare il corpo?»

«No.»

«Non mi dica bugie su questo.»

«Glielo giuro. Capisco che possa sembrare strano ma mi ascolti. Ho avvolto il corpo in un tappeto, e ho chiuso con qualche giro di nastro adesivo. Ho aspettato che fosse notte, per evitare il rischio di incontrare qualcuno. Poi ho preso la macchina e l'ho parcheggiata vicino all'ascensore nel garage.»

«C'è l'accesso diretto al garage, con l'ascensore?»

«Sì. Ho fatto delle prove con un altro tappeto, per vedere quanto ci mettevo, per fare il più in fretta possibile. Volevo automatizzare i movimenti, anche se naturalmente una cosa era il tappeto da solo, un'altra il tappeto con... insomma, con il corpo. E infatti la cosa più difficile è stata caricarlo sull'auto. Anche se era notte fonda ero terrorizzata che qualcuno potesse entrare in garage proprio in quel momento, e magari si offrisse di aiutarmi.»

«Che macchina ha?»

«Allora avevo una Toyota monovolume.»

Il racconto della donna proseguì, con tono quasi burocratico e, mi parve, del tutto credibile.

Dopo essersi sbarazzata del corpo aveva buttato il tappeto da un'altra parte – non sapeva dire con precisione dove. La mattina dopo aveva fatto lavare l'auto e, passato qualche giorno, l'aveva data in permuta comprandone una nuova.

«Il telefono e i gioielli di Giuliana? Li ha presi per simulare una rapina?»

«Ah, sì. Avevo dimenticato di dirlo. Forse perché, di tutti i gesti di quella sera, quello che mi è pesato di più è stato toglierle gli orecchini e gli anelli.»

«Anche quello a forma di serpente?»

Era una domanda inutile dal punto di vista investigativo, arrivati a quel punto. Serviva solo a completare il mio quadro personale.

«Ah, sapete anche questo. Sì, era un mio regalo.»

Rimase assorta per qualche secondo. «Sì, ho messo tutto in un sacchetto pieno di cartacce e l'ho buttato in un cestino.»

«La pistola?»

«Il giorno dopo l'ho gettata nel Naviglio della Martesana, poi ho denunciato uno scippo dicendo che avevo la pistola in borsa. Avevo il porto d'armi e la pistola era denunciata, ma questo immagino lo sappiate già. Temevo che trovandola fosse possibile analizzare il proiettile e dire che quella era l'arma usata per sparare.»

«Ha altre armi in casa?» La domanda in realtà era un po' incauta. Se fossi stata davvero un poliziotto, come lei credeva, avrei dovuto saperlo, nel caso fossero armi detenute legalmente. Però, arrivata fin lì, la cosa mi sembrava poco importante. Mentre era importante evitare il rischio che facesse qualche sciocchezza con un'altra pistola.

«No, non ne ho più volute. Dopo quel giorno la sola idea di toccare un'arma mi dava la nausea. Poco male se mi avessero rapinato, fra l'altro c'era l'assicurazione.»

«Poi cosa è successo?»

«Niente. Per settimane ho vissuto nell'attesa, nella certezza che da un momento all'altro sareste venuti a prendermi. Poi, a poco a poco, anche leggendo che era sospettato il marito, ho cominciato a pensare che forse non sarebbe accaduto.»

«Se lo avessero arrestato?»

Un'altra domanda inutile, dal punto di vista investigativo. Ma io non ero un investigatore – non più – e volevo semplicemente sapere.

Non rispose subito.

«Non lo so. Non ci ho mai pensato, ho avuto sempre l'impressione che indagassero su di lui perché non avevano altre piste, ma non ho mai pensato che potessero davvero collegarlo al... insomma, al fatto. Non so come mi sarei comportata se l'avessero arrestato.»

Tutto giusto, impeccabile. Quella lucidità avrebbe dovuto infastidirmi o peggio. Invece no. Forse perché non sembrava, come in tanti altri casi del passato, freddezza e oscena insensibilità. Piuttosto una manifestazione dello spirito di sopravvivenza, di adattabilità istintiva agli eventi. Una cosa certamente non morale, ma nemmeno immorale. Sopravvivenza.

Pensai ai tabulati telefonici nei quali non c'era traccia di contatti tra le due donne. «Come comunicavate?»

«Sempre con WhatsApp, per non correre il rischio di chiamarla quando era con il marito.»

E anche questo quadrava.

«Posso farle una domanda?» disse dopo un breve silenzio.

«Dica.»

«Perché è venuta da sola?»

Ebbi l'impulso di dirle la verità, chi ero io, cosa era successo davvero. Mi sentii in colpa per le bugie. Esperienze non nuove, per me: sia le bugie, sia la colpa.

«È stata una mia iniziativa personale. Ho voluto darle l'opportunità di raccontare la sua storia prima che arrivasse un'ordinanza di custodia cautelare. Adesso la farò accompagnare in questura, in presenza di un avvocato metterete tutto a verbale e dunque risulterà una confessione spontanea. Non ci sarà traccia di questo nostro incontro. Questo comportamento le garantirà le attenuanti generiche, potrà scegliere il giudizio abbreviato con uno sconto di pena significativo. Il suo avvocato le spiegherà tutto.»

Ero convinta che a quel punto mi avrebbe chiesto spiegazioni, chi fossi io, per quale motivo mi comportassi in quel modo. Invece disse solo grazie. Si accese un'altra sigaretta e la fumò in silenzio.

«Che fine farà Olivia?»

«Bisognerà portarla a un canile.»

«Perché non la prende lei?»

Nel momento stesso in cui me lo chiedeva, mi parve del tutto naturale che lo facesse. Naturale e quasi inevitabile. La sconfitta del caso. Così dissi va bene, l'avrei presa con me.

«Grazie. Questo rende tutto meno difficile. Mi farà sapere come sta?»

«Certo. Le manderò anche delle foto, se vuole. Adesso devo fare una telefonata.»

Uscii sul balcone. Faceva ancora freddo e qualche raggio di sole malato filtrava fra le nuvole. Pensai a quello che era appena successo e per un attimo provai una combinazione pungente di euforia e di tristezza. Accesi un'altra sigaretta ma il sapore non mi piacque e chiamai Mano di Pietra.

«Rocco.»

«Dottoressa?»

«Devi raggiungermi. Adesso, qualsiasi cosa tu stia facendo. Vieni con un paio di colleghi di cui ti fidi. Ti spiego tutto quando ci vediamo.»

Ci fu appena un attimo di esitazione. «Dove?» chiese soltanto.

20

Mentre aspettavamo quelli della mobile, sempre stando sul balcone, telefonai anche a Mario Rossi. Forse sarebbe stato meglio raccontargli tutto di persona, ma avevo fretta: non volevo che qualcuno lo chiamasse dalla questura prima che l'avessi sentito io. Tantomeno volevo che la notizia gli arrivasse dai siti o dai telegiornali.

E probabilmente ci tenevo a dirgli tutto io perché non ci fossero equivoci su chi avesse il merito della cosa. In quel momento non lo avrei mai ammesso, ma questa è un'altra faccenda e la vanità è sempre una bestia difficile da ammansire.

«Buongiorno dottoressa, sono con dei clienti, se non è urgente…»

«È urgente.»

Lo sentii parlare con qualcuno, scusarsi, chiedere di avere pazienza per qualche minuto.

«Eccomi. Ci sono novità?»

C'erano novità, sì. Gli raccontai quasi tutto, omettendo quello che non era indispensabile, anche manipolando qualche dettaglio. Ci sarebbe stato tempo, più avanti, per leggere gli atti, per sapere tutto. Rossi ascoltò in silenzio, senza interrompere mai, concentrato ad assorbire ogni frammento della verità, o di qualcosa che le somigliava abbastanza.

«Dobbiamo incontrarci» disse soltanto, quando ebbi finito. «Devo pagarla.»

Pensai di dire no. Non doveva pagarmi, non l'avevo fatto per i soldi, era soltanto una questione personale. Come quasi sempre.

Invece dissi di sì, va bene, ci saremmo visti e mi avrebbe pagato. Pensai che era giusto lo facesse. Pagare l'avrebbe aiutato a dare senso, a curare la ferita. Se pagava, era l'artefice dell'accaduto e poteva dire a sé stesso che quell'esito dipendeva da lui e dalla sua determinazione. Quella che all'inizio mi era parsa così inutile e puerile.

«In casa ho tremila euro ma se non sono sufficienti...»

«Tremila euro è quello che le avrei chiesto» mentii.

«La chiamo domani e vengo a trovarla.»

«Quando vuole.»

«Scusi...»

«Sì?»

«Sono confuso. Non so nemmeno se l'ho ringraziata...» Fu solo in quel momento che gli si incrinò la voce.

«Lo ha fatto» gli risposi prima di chiudere.

Zanardi invece lo chiamai dopo essere andata via, dopo che Barbagallo e i suoi colleghi, tutti alquanto stupefatti, si erano portati via la donna, con l'intesa che il mio nome non doveva comparire in nessuna carta di quell'indagine.

«Dottoressa Spada.»

«Come stai?»

«Che ti è successo?»

«In che senso?»

«Non chiedi mai: come stai? Che succede?»

«Mi avevi detto che, se avessi scoperto qualcosa, dovevi essere il primo a saperlo. Sei il terzo, spero che ti accontenterai.»

Ci mise qualche istante a capire.

«Aspetta, aspetta, l'omicidio Baldi?»

Gli raccontai quello che era necessario perché fosse il primo a lanciare la notizia. Senza troppi particolari ma abbastanza per lo scoop, facile da immaginare: "Sviluppi investigativi inattesi e, pare, clamorosi, nel caso dell'omicidio di Giuliana Baldi, la personal trainer trovata uccisa con un colpo di pistola alla nuca nella periferia di Rozzano oltre un anno fa. Il personale della squadra mobile avrebbe condotto nei suoi uffici una donna sospettata dell'omicidio, sarebbe in corso un interrogatorio alla presenza del pubblico ministero e del difensore eccetera".

Il resto lo avrebbe saputo al momento della conferenza stampa. Mi immaginavo anche il comunicato della questura: "Dopo diuturna attività investigativa personale di questo ufficio è giunto all'identificazione della responsabile dell'omicidio di Baldi Giuliana e all'acquisizione di inoppugnabili elementi di responsabilità che hanno indotto la predetta a rendere ampia confessione eccetera".

Barbagallo avrebbe ricevuto un encomio, e lo avrebbero ricevuto anche altri suoi colleghi che non avevano fatto niente; Zanardi avrebbe confermato la sua fama quasi leggendaria di uno capace di arrivare prima degli altri, o dove gli altri non sapevano come arrivare; Rossi, forse, avrebbe fatto – e chiuso – i conti con il suo passato.

Zanardi provò a insistere perché gli dicessi di più sulla confessione.

«Come cazzo hai fatto? Sei Mandrake.»

«Che te lo dico a fare? Tanto non potresti scriverlo.»

«Magari ho solo voglia di saperlo, anche se non lo posso scrivere.»

«Magari allora, quando mi inviti di nuovo a pranzo, te lo racconto.»

«Oggi. Ci vediamo all'una e mezza...»

«Oggi no. Devo occuparmi di un'amica» dissi lanciando uno sguardo a Olivia che camminava al mio fianco, al guinzaglio.

«Dimmi almeno come si chiama l'assassina.»

«Non lo so.»

21

Nel pomeriggio andai ai giardini con Olivia. La tenevo sempre al guinzaglio ma sembrava non ce ne fosse bisogno. Camminava con la testa vicina alla mia gamba sinistra, adeguandosi con naturalezza alla mia andatura. Pensai che con ogni probabilità era stata addestrata, anche se il suo senso del ritmo e l'armonia bizzarra dei suoi movimenti sembravano del tutto naturali. C'era una sincronia spontanea e profonda nel passo di quella bestia dall'aria buffa e letale.

Trottammo insieme per una ventina di minuti e l'esercizio mi parve meno noioso del solito. Poi andammo nella zona degli attrezzi dove stranamente non c'era nessuno.

La legai a una panchina e lei, senza che le dicessi niente, si mise a terra con un movimento uniforme, fluido. Assunse una posizione simmetrica, come una sfinge. Cominciai il mio allenamento e lei mi sorvegliava, con un principio di ansia nello sguardo, ma composta, come un bravo soldato.

Era disciplinata ma non sottomessa, pensai, proprio

con queste parole. Disciplina senza sottomissione: mi piacque molto, mi parve un'intuizione e, forse, un insegnamento. Un modo di essere nel mondo. Una cosa cui non avevo mai pensato prima e una possibile soluzione. Una scelta.

Feci i miei esercizi e nelle pause la facevo rialzare e muovere. Era a suo agio, scodinzolava sobriamente. In uno o due momenti mi ricordò qualcosa che non riuscivo a ricordare, lontano e commovente.

Da quel punto dei giardini i rumori della città erano attutiti, quasi cancellati.

Bisognava fare attenzione per intuire il fracasso dei motori, il brulicare delle vite, le voci nei vecchi cortili, certe canzoni cantate sottovoce, la ricchezza e la miseria, i magazzini, le storie, le musiche, le guardie e i ladri e quelli che passano da una parte all'altra, la rabbia e la pietà, le sconfitte brucianti, le inattese, fugaci vittorie, il tumulto e la quiete e lo sconfinato scenario delle esistenze.

A un certo punto passarono due ragazzi correndo piano e parlando. Uno dei due si fermò a guardare Olivia. Aveva una faccia simpatica, di quelle che forse ci si potrebbe fidare.

«È bellissima. Posso accarezzarla?»

Olivia lo teneva d'occhio. Non era ostile ma nemmeno muoveva la coda.

«Forse è meglio di no. È buonissima con i bambini e con le donne ma è un po' diffidente con gli uomini.»

Il ragazzo, sorridendo, disse al suo amico qualcosa

che non riuscii a sentire. Poi mi fecero un cenno di saluto e andarono via come erano arrivati.

Poco dopo io finii di allenarmi e noi due ragazze ce ne tornammo a casa, insieme.